6/-

LA CIUDAD DE LA NIEBLA

SOCIÉTÉ FRANÇAISE D'ÉDITIONS NELSON
25 rue Henri Barbusse Paris Vᵉ

THOMAS NELSON AND SONS LTD
Parkside Works Edinburgh 9
3 Henrietta Street London WC2
312 Flinders Street Melbourne C1
5 Parker's Buildings Burg Street Cape Town

THOMAS NELSON AND SONS (CANADA) LTD
91–93 Wellington Street West   Toronto 1

THOMAS NELSON AND SONS
19 East 47th Street New York 17

LA CIUDAD
DE LA NIEBLA

PÍO BAROJA

PARIS
NELSON EDITORES
25 RUE HENRI BARBUSSE
Y EN
LONDRES EDIMBURGO Y NUEVA-YORK
1951

PÍO BAROJA

Nacido en San Sebastian en 1872
Primera edición de *La Ciudad de la Niebla* : 1909

PRIMERA PARTE

LOS CAMINOS TORTUOSOS

CAPITULO PRIMERO

Á LA VISTA DE INGLATERRA

E STABA contemplando desde la borda el despertar
del día. Mi padre dormitaba después de muchas horas de mareo.

El barco iba dejando una gran estela blanca
en el mar, la máquina zumbaba en las entrañas
del vapor, y salían de las chimeneas nubes de
chispas.

Era al amanecer; la bruma despegada de las
aguas formaba una cubierta gris á pocos metros
de altura. Brillaban á veces en la costa largas

3

filas de focos eléctricos reflejados en el mar de
color de acero. Las gaviotas y los petreles lanzaban su grito estridente entre la niebla, juguetea-
ban sobre las olas espumosas y levantaban el
vuelo hasta perderse de vista.

Tras de una hora de respirar el aire libre, bajé
á la cámara á ver cómo seguía mi padre.

— Vamos, anímate — le dije viéndole despier-
to. — Ya estamos cerca de la desembocadura del
Támesis.

— Á mí me parece que no vamos á llegar nunca — contestó él con voz quejumbrosa.

— Pues ya no nos debe faltar nada.

— Pregunta á ver lo que nos queda todavía, y
cuando ya estemos cerca de veras, avísame.

— Bueno.

Volví sobre cubierta. Se deshacía la bruma; la
costa avanzaba en el mar formando una lengua
de tierra, y en ésta se veía un pueblo; un pueblo
negro con una gran torre, en la niebla vaporosa
de la mañana. La costa continuaba después en
un acantilado liso y de color de ceniza; sobre las
piedras amontonadas al pie, monstruos negruz-
cos dormidos en las aguas, las olas se rompían
en espuma, y el mar sin color se confundía con
el cielo, también incoloro.

El barco cambió de rumbo costeando, bailó
de derecha á izquierda, oscilaron violentamente
en el interior las lámparas eléctricas y poco después el mar quedó sereno y el barco avanzó suavemente y sin balancearse.

Se veían ahora, al pasar, orillas planas, arena-
les en cuyo extremo se levantaba un gran faro;

se divisó la desembocadura de un río que corta-
ba un banco de arena.

Luego, de pronto, se vió la entrada del Támesis, un brazo de mar, del cual no se advertía
más que una orilla destacada como una línea muy
tenue.

Clareaba ya cuando comenzamos á remontar
el Támesis; el río, de color de plomo, se iba
abriendo y mostrando su ancha superficie bajo
un cielo opaco y gris. En las orillas lejanas, envueltas en bruma, no se distinguían aún ni árboles ni casas. Á cada momento pasaban haciendo
sonar sus roncas sirenas grandes barcos negros,
uno tras otro.

Á medida que avanzábamos, las filas de barcos eran más nutridas, las orillas iban estrechán-
dose, se comenzaba á ver casas, edificios, parques con grandes árboles; se divisaban pueble-
cillos grises, praderas rectangulares divididas con
ligeras vallas y con carteles indicando los sitios
de *sport*. Un camino sinuoso, violáceo, en medio
del verde de las heredades, corría hasta perderse
en lo lejano.

Pasamos por delante de algunos pueblos ribe-
reños. Las vueltas del río producían una extraña
ilusión, la de ver una fila de barcos que avan-
zaban echando humo por entre las casas y los
árboles.

El río se estrechaba más, el día clareaba, se
veían ya con precisión las dos orillas, y seguían
pasando barcos continuamente.

— ¿Hemos llegado? — pregunté yo á un marinero.

— Dentro de un momento. Todavía faltan nueve millas para la Aduana.

Avisé á papá y le ayudé á subir sobre cubierta. Estaba un poco pálido y desencajado.

El *Clyde* aminoraba la marcha. En el muelle de Greenwich, viejos marineros con traje azul y clásica sotabarba, apoyados en un barandado que daba al río, contemplaban el ir y venir de los barcos.

LA ENTRADA EN LONDRES

La animación y el movimiento en el Támesis comenzaban á ser extraordinarios. La niebla y el humo iban espesándose á medida que nos acercábamos á Londres, y en la atmósfera opaca y turbia apenas si se distinguían ya los edificios de las dos orillas. Lloviznaba. Las grandes chimeneas de las fábricas vomitaban humo denso y negro; el río amarillo manchado de vetas obscuras arrastraba al impulso de la marea tablas, corchos, papeles y haces de paja. Á un lado y á otro se veían grandes almacenes simétricos, montones de carbón de piedra, pilas de barricas de distintos colores. Parecía que se iba pasando por delante de varios pueblos levantados en las orillas.

Por entre casas, como dentro de tierra, se alzaba un bosque de mástiles, cruzado por cuerdas, entre las que flameaban largos y descoloridos gallardetes. Eran de los Docks de las Indias.

Pasaban vapores, unos ya descargados, casi fuera del agua, con los fondos musgosos y verdes, otros hudidos por el peso del cargamento.

Un quechemarín holandés, con las velas sucias y llenas de remiendos, marchaba despacio, llevado por la brisa, con la bandera desplegada. Sobre la cubierta un perro ladraba estruendosamente.

Siguió el *Clyde* avanzando despacio. Se erguían en ambas orillas chimeneas cuadradas, altas como torres, pilas de madera suficientes para construir un pueblo, serrerías con sus enormes maquinarias, empalizadas negras pintadas de alquitrán, almacenes, cobertizos, grupos de casas bajas, pequeñas, ahumadas, con su azotea, sus ventanas al río, y algún árbol achaparrado como sosteniendo la negra pared en el fangoso muelle. Funcionaban las grúas; sus garras de hierro entraban en el vientre de los barcos, salían poco después con su presa, y los cubos llenos de carbón, las cajas y los toneles subían hasta las ventanas de un segundo ó tercer piso, en donde dos ó tres hombres hacían la descarga.

Unos obreros trabajaban en un viaducto que unía una gran torre de la orilla con un depósito redondo colocado ya más dentro de tierra. Los martinetes resonaban como campanas y alternaba su ruido con el martilleteo estrepitoso que salía de un taller donde se remachaban grandes calderas y panzudas boyas.

En algunos sitios en donde el río se ensanchaba, unas cuantas grúas gigantes se levantaban en medio del agua sobre inmensos pies de hierro, y estas máquinas formidables envueltas en la niebla parecían titanes reunidos en un conciliábulo fantástico.

Al acercarnos á la ciudad las casas eran ya
más altas, la niebla se hacía más densa y más
turbia. Los vapores entraban y salían de los
Docks, el horizonte se veía zurcado por palos de
barco, en el río se mezclaban gabarras y botes;
cruzaban el aire chorros de vapor, silbaban las
calderas de las machinas y en medio de la niebla
y del humo subían suavemente, izados por las
grúas que giraban con la caseta del maquinista,
barricas de colores diversos, sacos y fardos.

Entre las casas bajas de las orillas se abrían
callejones estrechos y negros; en algunos entraba
el agua formando un pequeño puerto. En estas
hendiduras, la mirada se perdía en la confusión
indefinida de los objetos; se adivinaban galerías,
ventanas, poleas, torres, cadenas, grúas que llegaban hasta el cielo, letreros que abarcaban toda
la pared de una casa, grandes muestras ennegre-
cidas por la lluvia, y todo funcionaba con una
grandiosidad titánica y en un aparente desorden.

LLOVÍA

Ya se veía destacándose en el cielo gris como
una H gigantesca el puente de la Torre de Londres. Se acercó el *Clyde;* sonó una campana; los
carros y los ómnibus quedaron detenidos á ambos lados del puente y éste se partió por el centro y las dos mitades comenzaron á levantarse
con una solemne majestad.

Pasó el *Clyde.* Se veía entre la niebla la cúpula de San Pablo. Nos íbamos acercando al Puente

de Londres, en el que hormigueaba la multitud y
se amontonaban los coches.

El barco silbó varias veces, fué aproximándose
á la orilla y se detuvo en el muelle, cerca de la
Aduana. Echaron un puentecillo á un pontón y
desembarcamos.

Salimos á una callejuela invadida por un sin-
número de carros y de cargadores, en donde olía
á pescado de una manera terrible, seguimos la
callejuela hasta salir á una calle ancha, y allí tomamos un cab. El ligero cochecillo de dos ruedas,
sobre sus gruesos neumáticos, comenzó á marchar de prisa por el suelo mojado por la lluvia,
cruzó por delante del monumento del incendio
de Londres, tomó por una avenida recta y ancha,
Cannon Street, rodeó la iglesia de San Pablo, y
entró en otra calle, Ludgate Hill.

Al pasar por debajo de un arco, un policía
mandó detener el coche con un movimiento de
la mano. El cab se detuvo. El policía, enorme,
gigantesco, con una talma impermeable sobre los
hombros, aguantando la lluvia, parecía de piedra.
Había detenido el movimiento de la calle en la
dirección que llevábamos nosotros y pasaban en
sentido transversal un sin fin de carros y de coches. Yo me levanté del asiento para mirar hacia
adelante.

— ¡Qué barbaridad! ¡Qué animación! — exclamé.

Desde allí la calle transversal daba la impresión de un torrente, en el que fuesen arrastradas
con violencia cosas y personas. Las imperiales
de los ómnibus pintarrajeados iban llenas; hom-

bres de negro y mujeres vestidas de claro pasaban sin preocuparse gran cosa de la lluvia; al
mismo tiempo corrían de una manera vertiginosa
automóviles y coches, grandes camiones y ligeras bicicletas.

— ¿Pero no ves qué movimiento? — le dije á
mi padre.

— Sí, pero es un movimiento mecánico — replicó papá de una manera displicente.

— ¿Cómo puede ser de otra manera la animación de un pueblo? — pensé yo.

Me volví á mirar hacia atrás; los coches, los
caballos, los camiones, inmóviles, se apretaban
como formando un conglomerado; los caballos
tocaban con la cabeza el carro ó el cab que tenían
delante; los ciclistas se sostenían en su máquina
agarrados á un automóvil ó á un ómnibus.

Á los pocos minutos de estar parados cerca
del arco, el policía dejó el sitio que había ocupado, y seguimos adelante. Pasamos Fleet Street,
la calle de los periódicos; luego el Strand, la vía
más animada y pintoresca de Londres; después
tomamos por una avenida ancha recién abierta
y sin edificar aún, que partía desde cerca del
Temple, y cruzando por una plaza con un jardín
en medio, con grandes árboles, rodeado de una
verja, Bloomsbury Square, enfilamos una calle
formada por casas iguales y simétricas, y en una
de éstas se detuvo el coche.

Pagó mi padre al cochero, llamamos en la
casa, salió á la puerta un criado de frac, á quien
yo le pregunté por la dueña ó encargada, y apa-

reció una mujer de cara larga y fina y ojos azules seguida de un perrito.

Le entregué la carta de Gray. La encargada, después de leer la carta, nos hizo subir al piso segundo, nos mostró dos cuartos y nos preguntó si nos gustaban. Contestamos que sí, y tras de algunas útiles indicaciones acerca del servicio nos dejó solos.

Papá se acostó; se encontraba, según dijo, extenuado, y además tenía muy mal humor. Yo estuve luchando para limpiar y dejar presentable mi vestido, y á la hora del almuerzo bajé al comedor. Me indicaron el asiento en una mesa ocupada por un comandante sueco, serio como un poste, que no habló una palabra.

Cuando concluyó el almuerzo, encontrándome avergonzada al verme sola y tan mal vestida, me levanté más que de prisa y salí del comedor.

La seguridad, la desaparición de todo peligro, había producido un marcado mal humor en mi padre, y en mí un sentimiento de tristeza.

Presa de esta impresión melancólica me metí en mi cuarto, me senté cerca de la ventana y me puse á contemplar la calle. La niebla formaba una cortina gris delante de los cristales. El aire estaba húmedo y templado. Asomándose á la ventana se veía á un extremo y á otro de la calle los grandes árboles frondosos y verdes de dos plazas próximas.

— ¿Qué suerte me reservará Londres? — pensé. Experimentaba cierto temor al sentirme en la gran ciudad en donde probablemente tendría que vivir y trabajar.

Estaba pensativa, cuando dieron dos golpes á la puerta. Una criada con traje azul, delantal blanco y lazo en la cabeza, venía á arreglar el cuarto. Le hice algunas preguntas que la muchacha contestó con voz muy tímida.

Al anochecer, la misma criada vino con una jarra de agua caliente. Me lavé y arreglé, y un poco atemorizada bajé á comer.

Al día siguiente hablamos largamente mi padre y yo de lo que podríamos hacer en Londres. Nos quedaba poco dinero. Teníamos para pasar allá unos tres meses. Papá, sin motivo alguno, comenzaba á sentir antipatía por Londres, y dijo :

— Si aquí no encontramos un modo de vivir, nos vamos á otra parte.

Yo, comprendiendo que pronto necesitaríamos buscar trabajo, me dispuse á estudiar el inglés hasta escribirlo á la perfección. Salí á hacer algunas compras indispensables para papá y para mí, y llamé á un sastre y á una modista que me recomendaron en el hotel.

Mi padre, cuando se encontró elegante y bien vestido, perdió pronto su murria y comenzó á bajar al comedor y al salón.

Á pesar de que estaba ya bastante avanzada la primavera, el tiempo era frío y todos los días se encendía el fuego. Llovía casi constantemente; el cielo, siempre bajo y plomizo, no quería aligerarse. Algunos días, la niebla era muy densa, y no se veían las casas de enfrente, ni los árboles de las plazas vecinas.

Yo solía estudiar en mi cuarto arrullada por este ruido monótono de la lluvia. Mi cuarto era

claro, limpio, confortable, con su chimenea de
carbón, que algunas veces encendía. Desde la
ventana se veía la calle asfaltada, brillante por
la humedad. De noche, á la luz de los faroles,
parecía un canal ancho lleno de agua inmóvil.
Constantemente resonaba el ruido de la lluvia, y
se oía acercarse ó alejarse el trote de los caballos de los coches en el silencio de la calle.

Por las tardes solía descansar de mi estudio
asomándome á la ventana. Las casas negras se
destacaban en el cielo gris azulado y de las chimeneas en fila iba brotando el humo como he-
bras algodonosas disueltas en el cielo de color
de plomo. Á lo lejos, dos veletas con dos gallos
parecían signos de interrogación en el aire.

Solía respirar con delicia este aire húmedo y
tibio; luego cerraba la ventana y seguía estudiando.

CAPITULO II

BLOOMSBURY

EL barrio de Bloomsbury, casi por entero, es un barrio de pensiones y de pequeños hoteles, formado por casas iguales, con un piso bajo pintado de rojo á rayas blancas y los altos primitivamente amarillos y ennegrecidos después por la atmósfera fuliginosa de Londres.

Todas las casas de este barrio son iguales, todas negras, sin alero, con una serie de chimeneas de barro rojo que constantemente van arrojando humo en el aire gris.

El cuarto de papá no daba á la calle como el mío, sino que caía á un patio tan extenso como una plaza, limitado por una manzana de casas. Desde la ventana de la habitación de mi padre se veía la parte trasera de los hotelitos de enfrente, todos del mismo color, idéntica distribución, el mismo número de ventanas y una especie de terraza debajo de la cual estaba el fumadero, todos con el mismo sistema de tubería y el mismo número de chimeneas.

Mi padre, hablando de esta igualdad, se exasperaba.

El jardín, común á la manzana, era grande y simétrico; las parcelas, formadas por macizos de hierba verde y corta, dibujaban figuras romboidales; en un ángulo se levantaba una casita cubierta de hiedra. Á todas horas un jardinero, vestido de señor, con traje negro y sombrero hongo, trabajaba lentamente alisando la grava en las avenidas y quitando las malas hierbas.

Como llovía mucho, nos quedábamos en casa y solíamos refugiarnos en el salón ó en el fumadero, al lado de la chimenea.

El salón era grande, tapizado de tela clara; los cuadros colgaban por cordones verdes de una moldura; cubrían las ventanas cortinones de encaje poco tupido; la chimenea de mármol, ancha y alta, servía de sostén á un espejo de luna muy transparente. Adornaban la tabla de la chimenea, así como los veladores y el piano, crisantemos y rosas, muérdago y cardos secos puestos en jarrones pequeños. Todo relucía limpio, nuevo : la alfombra, los sillones, las sillas. En el hogar ardía constantemente un gran fuego de carbón de piedra y brillaban con la luz de la lumbre las tenazas y la pala doradas.

El salón de lectura se encontraba por debajo del piso de la calle. Para llegar á él había que bajar una escalera y cruzar el billar. Este cuarto de lectura y fumadero al mismo tiempo, era muy agradable y papá la tomó como punto de refugio. En el techo, una claraboya de cristal esmerilado dejaba pasar la luz opaca de los días grises, y en las paredes se abrían cuatro ventanas largas ocultas por cortinillas.

Excepto en algunas horas de la noche, el salón desierto y silencioso, alumbrado por aquella luz suave y cernida, invitaba á la meditación y al sueño. Varios sillones de cuero verde, hondos, cómodos, levantados por delante y con un atril movible en uno de los lados, ofrecían sus brazos robustos al perezoso que quisiera entregarse á ellos, y en el silencio sólo se oía el sonar de la lluvia en los cristales y el piar de los pájaros en el jardín.

GENTE DEL HOTEL

No llegaba todavía la gente para la *season*, y los que habitaban el hotel tenían el aspecto de aburrirse en este ambiente ceremonioso de silencio y de fastidio.

Papá refunfuñaba y se quejaba de aquella vida que él calificaba de imbécil; de la lluvia, de la comida y de la solemnidad de todo el mundo. Muchas veces se incomodaba en la mesa por cualquier pequeñez, y yo pasaba un mal rato esforzándome en calmarle.

Papá y yo comíamos cerca de la ventana en la misma mesa que un Mayor sueco y un señor holandés. El Mayor sueco apenas hablaba; era alto, fornido, derecho, con la cabeza redonda y rapada y el cuello rojo y robusto. Todos los días al entrar en el comedor se inclinaba galantemente delante de mí, describiendo con su cuer-

po un ángulo de cuarenta y cinco grados. Al concluir de comer volvía á saludarme ceremoniosa-
mente y se iba al salón de lectura á fumar y á
hacer solitarios con las cartas.

El otro comensal, un inglés nacido en Holanda
y de apellido francés, se llamaba Fleuri. El señor
Fleuri era hombre afeitado y serio, con el pelo
blanco, muy bien vestido y de aspecto malhu-
morado. Á pesar de su aspecto, el señor Fleuri
tenía el corazón muy florido y se enamoraba de
todas las mujeres. De mí no llegó á enamorarse
más que á medias.

Cerca de la otra ventana del comedor se sen-
taba una familia escocesa, la familia Campbell.
La tal familia hallábase formada por cinco personas : el padre, un señor muy bajito, calvo, con
patillas, puro constantemente en la boca alarga-
do por una boquilla, piernas zambas y las manos
mentidas en los bolsillos del pantalón; la madre,
un tipo de hombre, la nariz larga, la cara roja, los
dientes grandes y el pelo estirado como por un
cabrestante; el hijo, parecido á la madre, de una
frente minúscula y una mandíbula poderosa, y las
hijas, dos señoritas flacas, con trajes claros y lazo
como una mariposa en el cuello.

Los miembros de la familia Campbell, sin duda
no pensaban nada digno de comunicarse unos
á otros, porque se dedicaban al mutismo abso-
luto. Permanecían durante la comida rígidos en
las sillas sin hablar una palabra.

Cuando concluían se levantaban todos, y primero las dos chicas con sus lazos como maripo-
sas, luego la madre y después los dos hombres

salían del comedor haciendo vagas reverencias á
un lado y á otro.

Muchas veces Campbell, padre é hijo, iban á
jugar al billar, y el hijo tenía sin duda la pretensión de dirigir á las bolas como si fueran caballos, porque les hablada y chasqueaba la lengua,
y cuando se incomodaba les daba cada tacazo
que les hacía saltar al suelo.

Otra de las mesas del comedor solía estar
ocupada por sudamericanos. Uno de ellos era el
general Pompilio García, un hombre grueso y
pesado, de tez olivácea y bigote negro. Venía de
una república de la America del Sur de donde
había sido expulsado. Era un hombre taciturno
é inmóvil, pero que cuando se excitaba hablaba
con grandes gestos y con un acento muy ridículo, rociando la frase con una lluvia de ¡ ches ! di-
chos en todos los tonos. Su secretario era un
joven esbelto, delgado y melenudo, con el pelo
casi azul de puro negro y la tez cobriza.

Con ellos comía una señora argentina y sus dos
hijos, á quienes cuidaba una mulata.

Lo más desagradable de estos americanos era
que siempre estaban hablando alto, como para
convencer á todo el mundo de la espiritualidad
de sus conversaciones.

Así nos enteramos de que el general don Pompilio no encontraba bastante arte en Londres;
también nos enteramos de que no le *convensía*
Velázquez, ni tampoco le *convensía* Goya, pero
en cambio Carrière, ¿sabe?, le *paresía* admirable.

— ¿Pero qué entenderá este animal? —decía
mi padre indignado; — porque si se tratara de

subir á los árboles ó de la manera de comer guayaba, se le podía dejar opinar á este bárbaro.

Á pesar de las indignaciones de mi padre, no teníamos más remedio que oir todas las sandeces que se le ocurrían al general.

Algunas noches se amenizaban las veladas con un poco de concierto y de canto. Entre las cantantes se señalaban dos ó tres señoritas de edad inconfesable, secas y angulosas. Una de ellas, miss Bella Witman, exasperaba á mi padre.

— Pero si es más vieja que un loro — decía.

Miss Bella cantaba canciones de ópera italiana, de esas óperas antiguas que ya no se oyen en ninguna parte más que en Inglaterra. La canción favorita de esta solterona era una de *La Traviata,* que ella pronunciaba así :

Alfredo, Alfredo, di questo cogue
non puoi comprendegue tiuto l'amogue.

— ¿Pero esta vieja con esas cuerdas en el cuello, no comprenderá que se pone en ridículo con sus alaridos? — decía mi padre.

— Déjala, así se divierte — replicaba yo.

Un día en la mesa el Mayor sueco comenzó á contarnos á mi padre y á mí intimidades suyas y de su familia, refiriéndonos anécdotas chuscas con una risa infantil. Al día siguiente el sueco no se presentó en el comedor; preguntó papá al mozo por él y le dijeron que el Mayor se acaba-ba de marchar. Sin duda había dejado sus confidencias para el último día.

Al sueco le sucedió en la mesa un matrimonio escocés que venía á pasar la *season* : el señor y la señora Roche. Ella era preciosa, alta, rubia, la nariz bien hecha, los dientes blancos, unos ojos azules tirando á verdes magníficos, el cuerpo esbelto y la piel tersa sin una mácula. Vestía con gran elegancia y tenía un aire imponente. Su marido, el señor Roche, era un tipo muy distinguido, de unos treinta y cinco á cuarenta años, alto, flaco, elegante, de nariz recta y ojos grises. Papá lo clasificó como un celta.

Los primeros días de estancia en el hotel, madame Roche se manifestó en la mesa altiva y desdeñosa. El señor Fleuri se dedicó á colmarla de atenciones que ella apenas se dignaba atender. Mi padre creo que se sintió ofendido con el aire de reina destronada de madame Roche, y se creyó en el caso de manifestar el desdén que le producía la existencia de tan bella dama.

El señor Roche, más atento que su esposa, comenzó á tratarnos amablemente á mi padre y á mí, y conmigo intimó la bastante par darme consejos y orientarme en la vida de Londres. El señor Roche y su mujer, al mismo tiempo que á pasar la *season,* habían ido á Londres á resolver una cuestión de herencia.

Roche, según su propia confesión, era un hombre inútil, aunque él no sabía á punto fijo si esto dependía de su nulidad ó de la estúpida educación que había recibido.

Fuera de las gestiones para la herencia no hacía nada; leía casi exclusivamente el *Quijote* y las novelas de Dickens y daba grandes paseos.

Sentía tanto entusiasmo por el *Quijote,* que había ido á España solamente para ver los sitios recorridos por el héroe de Cervantes.

El conservaba un recuerdo agradable de España; en cambio á su mujer le parecía el rincón más miserable del mundo. Pensar que había un país en donde la mayoría de las mujeres no iban á reuniones, ni tomaban el té por las tardes, y que además de esto tenían el mal gusto de entusiasmarse con sus maridos, que generalmente eran más botarates que los maridos ingleses, exasperaba á madame Roche.

Estas explicaciones las dió el escocés riendo. La mímica de este hombre era tan expresiva y accionaba tan bien, con tanta gracia, que no sólo hacía reir, sino que parecía extraer de las personas y de las cosas, un gesto, un ademán burlón que las representaba fielmente.

Yo traté de cultivar la amistad del señor Roche, no sólo por lo que me convenía, sino porque el escocés era realmente amable, servicial y simpático.

LA RUBIA BETSY

Otra de las amistades que hice en la casa fué la de la muchacha que arreglaba mi cuarto, una rubia pálida bastante bonita á pesar de su aspecto ajado, como desteñido, y de su poca salud.

Yo la trataba como á una amiga, y ella, acostumbrada al desdén de las inglesas por sus criadas, me manifestaba gran simpatía.

Me hablada de su familia y de su pueblo. La muchacha se llamaba Betsy, abreviatura de Isabel, y era del Norte, en donde sus padres trabajaban en el campo.

La muchacha encontraba extraño que una señorita le mostrase interés, y, naturalmente muy cariñosa, experimentaba gran afecto por mí y me llevaba flores al cuarto y no quería tomar nada á cambio de sus atenciones.

Un día Betsy no apareció en mi habitación. Yo pensé si se habría marchado del hotel, y al día siguiente pregunté á la nueva criada.

— ¿Y Betsy?
— Está mala.
— ¿Tiene algo grave?
— No, creo que no.
— ¿Se le puede ver?
— Si usted quiere, sí.
— Vamos.

Bajamos hasta un cuarto del sótano, en donde se hallaba Betsy en la cama. La habitación, sin luz y baja de techo, era muy triste.

La muchacha tosía mucho y tenía fiebre.

— ¿Para qué ha venido usted aquí? — me preguntó Betsy.

— Para verla á usted.

Le hice algunas preguntas acerca de su enfermedad, y luego la dije :

— Mi padre es médico y vendrá á visitarla á usted ahora mismo.

Busqué á papá, que reconoció detenidamente á Betsy.

— Tiene una bronquitis aguda — dijo.

— ¿Grave?

— No.

Hizo una receta y se envió á un criado por ella á la farmacia. La dueña de la casa preguntó á mi padre si habría necesidad de llevar á Betsy al hospital; pero mi padre dijo que no, que la enfermedad era cuestión de pocos días.

Mientras duró la afección de Betsy, la visité todas las mañanas y le llevaba flores al cuarto. Cuando la criada se curó y volvió á sus faenas, manifestó por mí mayor afecto y adhesión.

Á las demás muchachas de la casa les parecía, sin duda, inusitado que una señorita se ocupara de ellas para algo más que para mandarles despóticamente ó para reñirlas, y todo lo que yo les pedía lo hacían con muy buena voluntad.

Las señoras del hotel, entre ellas madame Roche, encontraron de mal gusto mi conducta; á estas damas les parecía bien, hasta elegante, el visitar á los enfermos pobres siempre que se perteneciese á una Junta benéfica de señoras presidida por alguna duquesa, ó por lo menos por una lady, y se realizaran las visitas con cierto aparato, entre mundano y de solemnidad religiosa.

CAPÍTULO III

LA DAMA ERRANTE

UNA mañana al entrar en el salón y echar una mirada distraída á los periódicos, me encontré en el *Daily Telegraph* con un artículo de Tom Gray, titulado « La Dama Errante », y que tenía este subtítulo : « Historia de la fuga del doctor Aracil y de su hija. »

El artículo, de tres columnas, comenzaba haciendo historia del atentado de Madrid, y seguía luego una narración minuciosa, aunque falsa en su mayor parte, de la vida de mi padre y mía encerrados en la casa de un amigo, y de los procedimientos usados por nosotros para disfrazarnos y huir.

Estaba el artículo salpicado de anécdotas y de frases de papá, que sin duda Tom Gray había escuchado de los amigos.

Leí con ansiedad el periódico, atendiendo principalmente á ver si comprometía á Isidro el guarda, pero no había dato alguno que pudiese poner á la Policía sobre la pista.

Al día siguiente vino el segundo artículo de
Tom Gray, con nuestros retratos.

Al bajar por la mañana al comedor del hotel
notamos que todo el mundo nos miraba con curiosidad. Sin duda se habían dado cuenta de
quiénes éramos. Papá se pavoneó con orgullo, y
aquel día, creo la verdad que no encontró nada
malo ni en la casa ni en Londres.

Al levantarnos para salir del comedor la señora
rubia americana que comía en una mesa con el
general don Pompilio, nos saludó con una inclinación de cabeza y preguntó á mi padre en castellano con acento dulzón :

— Perdone usted. ¿Usted es el doctor Aracil,
no?

— Sí, señora.

— Es usted médico, ¿verdad?

— Sí.

— Pues yo quisiera hablar con usted, con el
permiso de esta señorita.

Mi padre se inclinó, la americana y yo nos sa-
ludamos y yo entré en el salón.

Poco después llegó un joven desconocido, un
periodista español, á quien papá había conocido
en una librería de Charing Cross Road, en donde
se vendían periódicos de Madrid. El periodista
preguntó por mi padre y habló conmigo. Me dijo
que deseaba celebrar una *interview* con nosotros
y que no había ningún peligro en decir que estábamos en Londres.

— Hoy son ustedes los héroes de aquí — aseguró él.

— ¿De veras? — pregunté yo riendo.

— Sí; hoy son ustedes populares. Si se presentaran ustedes en un teatro, medio Londres iría á verles.

— ¿Cree usted?

— Con seguridad.

— Pues yo no veo que esta gente sea tan entusiasta de los revolucionarios — dije yo.

— Lo son, ¡ya lo creo! Los ingleses son entusiastas frenéticos de los revolucionarios de los demás países; pero no de los suyos. Un enemigo del czar, del emperador Guillermo ó de un rey de cualquier parte, tiene siempre aquí grandes simpatías.

— ¿Y por qué esta diferencia entre los rebeldes suyos y los ajenos?

— Por una razón muy sencilla : ellos creen, y en parte se acercan á la verdad, que los gobiernos de Europa son todos abominables, menos el suyo. Así, un revolucionario alemán, español ó ruso es un descontento lógico; en cambio, un revolucionario inglés es un hombre absurdo.

— ¡Ah! Vamos, sí, se comprende.

En la casa se verificó una verdadera transformación con respecto á nosotros todo el mundo nos saludaba; hasta la vieja señorita miss Bella Witman, la aficionada al canto, que siempre me había mirado con desprecio, aquella tarde me hizo sitio junto al fuego con gran amabilidad, y después, pidiéndome mil perdones, me preguntó si era socialista ó anarquista. Le contesté que no, y miss Bella agregó que aunque ella odiaba á los socialistas y á la gente de poco *chic* y mala ropa, no podía menos de entusiasmarse con las personas valientes y dignas. Al terminar su explicación me alargó la mano, y tomando la mía, la estrechó vigorosamente.

La misma madame Roche, tan desdeñosa y soberbia, se humanizó hasta el punto de pedirnos mil perdones; nos había tomado, según dijo, por gente vulgar, pero desde que sabía lo que habíamos hecho nos admiraba, á pesar de ser, como miss Witman, enemiga de los revolucionarios.

El periodista, charlando conmigo, esperó á que viniera papá; luego se presentó mi padre y contó varias peripecias del viaje, añadiendo algunas anécdotas de su cosecha. La tarde la pasamos hablando; llamaron en el comedor para el té, y papá dijo al periodista :

— ¿Quiere usted tomar el té con nosotros?

Aceptó el joven, pasamos al comedor y papá nos presentó al periodista y á mí á la señora rubia madame Rinaldi, una americana viuda de un italiano. Cuando íbamos á tomar el té llegó Roche con su mujer, y nos sentamos todos reunidos en la misma mesa. Papá hizo alarde de su ingenio y el periodista le dió oportunamente la réplica.

Antes de despedirse el periodista nos preguntó :

— ¿Quieren ustedes venir un día de estos á casa de un diputado socialista amigo mío que tendrá mucho gusto en conocer á ustedes?

— Sí, ¡ ya lo creo !

— Entonces, les avisaré. Y les felicito á ustedes con toda mi alma por haber escapado de allá.

Se fué el periodista. Papá, viéndose de golpe

encumbrado y elevado á la categoría de héroe, perdió su mal humor y empezó á encontrar aceptables el clima de Londres, la casa y la alimentación. Recibimos una porción de cartas durante aquellos días, y entre ellas una ofreciéndose para todo del anarquista Miguel Baltasar, que sin duda nos consideraba á mi padre y á mí como compañeros.

REUNIÓN EN CASA DE UN DIPUTADO SOCIALISTA

Unos días después el periodista español nos escribió diciéndonos que nos esperaba á las cuatro de la tarde en casa del diputado O'Bryen, y nos daba las señas de éste.

Vimos en el plano que la casa del diputado estaba cerca y fuimos paseando hasta una gran plaza con árboles. El señor O'Bryen vivía en el último piso. Subimos la escalera hasta el final, nos encontramos con una puerta abierta y pasamos á un salón grande lleno de gente.

El periodista me presentó á una señora joven, la dueña de la casa, y ésta se acercó á mí, me tomó de la mano, me llevó delante de la ventana, me contempló á su gusto y luego me besó en las mejillas.

— Esta señorita es María Aracil — dijo la dueña de la casa dirigiéndose á la concurrencia — y este señor es su padre.

El asombro y la admiración fueron generales; sin duda habían leído casi todos la narración de nuestra fuga en el periódico; además, la mayoría de las señoras y señoritas allí renuidas eran socialistas, sufragistas, escritoras radicales á cuál más revolucionaria, á juzgar por las felicitaciones y apretones de manos que me dieron.

También felicitaron á papá efusivamente; pero la figura principal, dado el carácter feminista de la reunión, fuí yo.

El amo de la casa, el diputado socialista O'Bryen, adepto del Partido del Trabajo, un hombre joven á pesar de su pelo blanco, de tipo escocés, moreno, de mirada brillante, saludó á papá y le estrechó la mano, pero no sabía hablar francés ni mi padre inglés, y no pudieron entenderse.

O'Bryen presentó á papá á los concurrentes; entre ellos llamaba la atención un indio negro de cara picada de viruelas, uno de los jefes socialistas de Bombay; un obrero con la cabeza grande y la frente abombada, al parecer una lumbrera del partido, y un señor alto y flaco, de bigote corto y aspecto de maestro de escuela. Sólo este señor sabía algo de francés y cambió con mi padre unas cuantas frases.

Entre las mujeres que me rodearon había algunas celebridades. De las más ilustres era miss Clarck, una mujer como una percha, alta, fea, con unos pies como dos gabarras, manos de gigante, y un sombrero deforme en la cabeza. La fama de miss Clarck procedía de una gran campaña hecha en un periódico á favor de los boers durante la guerra del Transvaal.

Además de miss Clarck se distinguían en el grupo la señora de O'Bryen y una joven rusa, morena, vivaracha, con una risa muy jovial, que se dedicaba á la pintura y se llamaba Natalia Leskov.

Natalia me fué muy simpática, hablamos un rato, nos prometimos mutuamente vernos de nuevo y tratarnos con intimidad, y antes de marcharnos mi padre y yo, la rusa me presentó á un joven polaco, Vladimir Ovolenski, un hombre de unos veinticinco años, de talla media, moreno, con una cabeza de poeta, la frente desguarnecida y la mirada intensa de los ojos hundidos y profundos.

Me chocó este tipo por su aire trágico. Á cada paso mi padre y yo teníamos que levantarnos á saludar á nuevas personas á quienes nos iban presentando.

Luego la señora del diputado y sus dos hijos, dos niños muy bonitos de cinco á siete años, que andaban descalzos por el salón, sirvieron el té.

El motivo principal de la conversación fué nuestras aventuras, y relacionándolo con esto se habló de la situación de España.

El señor de la cabeza grande y de la frente abombada me explicó sus ideas acerca de lo que debía ser la organización socialista en España. Yo asentí á todo cuanto me dijo aunque no comprendí muy bien sus explicaciones.

Al despedirnos de los concurrentes, hubo de nuevo felicitaciones y apretones de manos.

Ibamos por la calle, cuando papá dijo :

— Después de todo, estos ingleses son unos majaderos.

Yo le miré con asombro y pensé si mi padre tendría celos del éxito alcanzado por mí.

CAPÍTULO IV

EL SEÑOR ROCHE

EL señor Roche era hombre muy amigo de callejear y de dar grandes paseos; siempre se hallaba dispuesto á servirnos de cicerone con verdadera diligencia y con una extraordinaria amabilidad. Muchas veces mi padre prefería estar hablando en el salón y yo paseaba con el señor Roche.

Roche sentía esa curiosidad insaciable del vago, á quien los hombres atareados llaman papanatas. Para él nada tan agradable como pasar horas enteras en un puente contemplando el movimiento del río, ó mirando una tapia detrás de la cual se dice que ocurre algo.

Á Roche le encantaban los espectáculos callejeros y era un gran observador de menudencias.

Me acompañó á ver los museos, los grandes parques llenos de frescura, de verdor y de silencio, en donde pían los pájaros, y me mostró las pequeñas curiosidades de la calle.

Me hizo pasar largos ratos viendo cómo cualquier pintor ambulante, con una cajita de lápices de colores, arrodillado en el suelo, pintaba en

2

las aceras una porción de paisajes y de escenas religiosas y militares, y cómo luego ponía unos letreros explicativos con una magnífica letra.

Frecuentemente el pintor callejero solía estar acompañado por un perro de aguas, el cual, muy quieto, sostenía una canastilla en la boca, en donde Roche y los demás admiradores del artista dejaban alguna moneda.

Otras veces se detenía á ver en un rincón de una calle á Guignol apaleando al juez, lo que le hacía mucha gracia, ó algunas chiquillas bailando la jiga al compás de las notas de un organillo.

Me llevó también á ver los rincones descritos por Dickens, el Almacén de Antigüedades próximo á Lincoln's Inn, la tienda de objetos de náutica del Pequeño Aspirante de Marina de la calle Minories, y me mostraba la gente sin hogar esperando el momento de entrar en el Workhouse y el barrio italiano entre Clerkenwell Road y Rosebery Avenue, con sus tiendecillas, en donde se vende polenta, mortadella y macarrones, sus bandadas de chiquillos sucios y sus mujeres peinándose en la calle.

Descubrimos en Fleet Street en algunos escaparates de los periódicos el retrato de mi padre y el mío, y Roche me llevó á Paternoster Row, una calle de libreros en donde durante algún tiempo nuestras fotografías figuraron entre celebridades.

También solíamos andar por las calles elegantes: Bond Street y Regent Street. Abundaban allá las mujeres bonitas, elegantísimas, con un aire angelical; sobre todo los establecimientos de modas eran exhibiciones de muchachas preciosas, rubias, morenas y rojas con tocados vaporosos.

— Están ahí como reclamo de las tiendas — decía Roche. — Es curioso — añadía ; — en esta parte de Oxford Street, Regent Street, Piccadilly y Bond Street, dominan las mujeres; en cambio, en la City no ve usted más que hombres. De aquí resulta que las mujeres de allá tienen aire hombruno; en cambio los hombres de aquí son de tipo afeminado.

De pronto Roche se paraba, y como quien hace un descubrimiento, me decía :

— Mire usted qué diversidad de olores, ¿eh? Aquí se siente el olor del carbón y de la marea del río que á mí me gusta... Hemos dado cuatro pasos, y fíjese usted, ya ha cambiado el olor, se siente el tufo que echan los automóviles... Este olor de arena húmeda y caliente es el que sale de la estación del Metropolitano...; ahora viene un olor de fábrica. Demos vuelta á la esquina... Parece que vamos en la cubierta de un barco, ¿no es verdad?

— Sí.

— Es que la calle está entarugada y cuando le da el sol echa un olor de brea. Mire usted aquí — y el señor Roche levantaba la cabeza y respiraba — cómo huele á carne asada de algún restaurant. En cambio, en este rincón ha quedado como inmóvil el olor á tabaco.

Al señor Roche no se le pasaba nada sin notarlo y comentarlo. Tenía la atención puesta en todas las cosas : en lo que decían los vendedores ambulantes, en las frases de los cobradores de los ómnibus invitando á subir á la gente, en cuanto pasaba por delante de sus ojos.

Mister Roche me contó su vida y la de su mujer.

— Yo he sido siempre — me dijo — un hombre vago y sin decisión. Cuando estudiaba en el colegio, un señor que se dedicaba á la grafología estudió las letras de los alumnos, y al observar la mía, después de hacer un gesto de desprecio murmuró : Falta de voluntad, falta de carácter. Esto en Inglaterra es un crimen. La verdad es que nunca he podido decidirme á hacer las cosas rápidamente ni á insistir en ellas. Hasta cuando era joven y quería enamorarme, no llegaba á fijarme sólo en una muchacha; una mataba la impresión de la otra y no me decidía jamás. Esta debía haber sido mi vida, ¿verdad? : no decidirme nunca.

— Pero alguna vez hay que decidirse — le dije yo.

— Eso es lo malo, hay que decidirse; no basta andar como la niebla de un lado á otro empujada por el viento; pero yo espontáneamente no me decidiría nunca. Además, ¿sabe usted?, soy un profesional de la curiosidad. Todas las cosas que ignoro me atraen, y me atraen más cuanto más las ignoro. Cuando empiezo á conocerlas es cuando me rechazan.

— Usted debe ser muy poco inglés.

— Tan poco, que soy escocés y descendiente de irlandeses.

Roche siguió contando su historia, interrumpiéndola con observaciones y anécdotas. Era hijo de una familia acomodada, y de joven vivía con su madre en el campo cerca de Edimburgo. Ha-

bía estudiado Derecho con la idea de no ejercer
la profesión. Un verano, después de acabar la
carrera, conoció á la que luego fué su mujer. Era
madame Roche entonces una muchacha que llamaba la atención, no sólo por su belleza, sino
también por su inteligencia. Á pesar de su posición modesta, se hallaba relacionada con lores y
señoras aristocráticas.

Madame Roche se enamoró primeramente del
que luego fué su marido. Este no se atrevía á
dirigirse á una mujer tan hermosa y brillante;
pero ella allanó el camino y se casaron, gastaron
en cinco ó seis años todo el dinero que tenían, y
vivían de una pensión modesta que les pasaba
la madre del señor Roche.

MADAME ROCHE Y SU FILOSOFÍA

Al cabo de diez años y de tres hijos que vivían con los abuelos, el amor en el matrimonio
había volado. El aceptaba su papel de marido de
una *professional beauty* con filosofía, y como este
papel es enajenable en países donde existe el divorcio, pensaba en cedérselo á cualquiera.

Madame Roche insinuaba á su marido esta idea,
y él parecía aceptarla sin ningún pesar, indiferencia que encolerizaba á su esposa.

— Si me vuelvo á casar otra vez... — decía
madame Roche con cierto retintín.

El señor Roche, cuando oía esto, no replicaba;
pero parecía decir íntimamente : « Ojalá sea ma
ñana. »

Madame Roche entablaba grandes discusiones con mi padre. No se entendían, y sentían uno por el otro gran hostilidad, unida á cierta vaga estimación nacida de encontrarse mutuamente un caracter decorativo.

Madame Roche se había formado para su uso particular una filosofía aristocrática que halagaba su orgullo. Su filosofía se hallaba condensada en esta frase que solía repetir con frecuencia :

— Hay gente que ha nacido para gozar y comprender la belleza, y otra para sufrir y trabajar.

Según esta moral caprichosa, los hombres superiores tenían derecho á todo y las mujeres superiores más aun. Podían sacrificar á los demás, avasallarlos; la etiqueta de ser superior era como un salvoconducto para cualquier desafuero.

Afirmaba seriamente madame Roche que las mujeres bellas é inteligentes, si estaban casadas con hombres débiles y desagradables por su riqueza, no debían tener hijos de sus maridos, sino de los jóvenes fuertes y hermosos que encontraran á su paso por el mundo. Decía esto de los hombres fuertes y hermosos con orgullo. También, según ella, había que recomendar á los pobres que no tuvieran hijos, porque todo el sobrante de población produce la mendicidad, el crimen, la borrachera y los demás espectáculos desagradables á los ojos de los privilegiados.

Á madame Roche le halagaba creer que estas dos humanidades, una formada por señoras intelectuales y bellas y por hombres de talento, y la otra por gente vulgar y ordinaria, eran diferentes.

En el fondo, toda la filosofía de madame Roche

dimanaba casi exclusivamente de las novelas de
Gabriel d'Annunzio, que eran su pasto intelectual.

— Lee esas fantasmonadas de d'Annuzio —
decía mi padre con sorna, — y, claro, se cree una
supermujer. Ese vino endulzado con la más venenosa de las sacarinas que sirve el divo italiano
en su palacio de cartón y de papel pintado, se les
está subiendo á la cabeza y, volviendo locas á estas
pobres cursis.

DISCUSIONES

Madame Roche decía de las mujeres españolas
que no queríamos ser libres.

Al feminismo suyo oponía mi padre en broma
una idea mahometana de la mujer.

— La mujer es una creación del hombre — replicaba madame Roche. — La mujer vive para el
hombre; el hombre debe vivir para la mujer.

— Que viva la mujer para ella misma — decía
mi padre.

— Es que la mujer necesita atención y cuidado — replicaba madame Roche. — Hay que cuidar
de las mujeres, porque son más necesarias casi
que los hombres. Un hombre puede bastar á diez
mujeres para el fin de perpetuar la especie. Lo
contrario sería imposible.

— ¿Y usted, tan individualista, se preocupa de
la especie? — preguntaba mi padre.

— Sí, señor.

— Además, ¿usted cree que la mujer de hoy

vive realmente para un hombre? Me parece que
á una señora, entre los amigos, la casa y el traje,
le debe quedar muy poco para el marido.

— Yo no digo que la mujer viva para un hombre, sino para los hombres — replicaba madame
Roche alardeando de cinismo. — Además, los
maridos tienen también el juego y el club.

— En el fondo — replicaba mi padre, — lo que
usted quiere es absurdo : atacar el matrimonio y
la moral y respetar los trajes, las formas sociales, el té de las cinco y la propiedad. Esto es imposible. Cuando la moral actual caiga, caerá arrastrando todos los demás sostenes de la sociedad.

— ¿Pero por qué ha de caer lo demás? ¿Por
qué ha de caer lo que es bonito? ¿Las modas?
¿Los trajes elegantes? — decía madame Roche con
voz un poco agria.

— Porque todo eso está basado en la esclavitud de pobres muchachas, tan bonitas como las
más bonitas que pasean en Hyde Park y que
tienen que estar trabajando para que una vieja
grulla se luzca en su coche.

— Es que no puede ser de otra manera.

— ¿Por qué no?

— Usted habla de anarquismo, de revolución —
replicaba madame Roche; — y yo no quiero
el anarquismo. El anarquismo es la tendencia de
destruir todo lo hermoso para substituirlo con lo
feo. Hacer de Londres un Whitechapel grande.

— No, no es cierto ; en tal caso, el anarquismo
no querría más que acercarse á la ley natural.

— Pero acercarse á la Naturaleza es acercarse
á la bestia — decía madame Roche.

— Es posible ; pero yo no creo que porque una mujer gaste unos cuantos cientos de libras en trajes y en perifollos y porque lea á d'Annunzio se aleje de la bestia.

— Se acerca á la belleza.

— ¡ Oh ! Si el criterio ha de ser la belleza, hay que volver á lo antiguo. ¿Entonces por qué se queja usted de la moral tradicional?

— Porque es absurda.

— ¿Y qué es en el fondo lo absurdo sino lo antinatural?

— Es que es natural la desigualdad. Lo dice el mismo Evangelio : « Hay que dar á Dios lo que es de Dios y al César lo que es del César. »

— Es que hoy Dios se ha convertido en un personaje discutido y problemático, y el César en un automovilista ridículo, en un matador de pichones ó en un viajante de comercio.

— Usted no quiere reconocer categorías, pero las hay en todo — argüía madame Roche.

— Claro que las hay, pero no son las que acepta la sociedad — contestaba mi padre.

— Pero las categorías se ven, se imponen : ¿el champagne, no es mejor que el agua?

— No. Déle usted al sediento que acaba de andar un día al sol una botella de champagne ó una jarra de agua ; verá usted lo que prefiere.

— Sí, en ciertos casos. Pero yo no hablo de lo que es mejor en el desierto, sino de lo que es mejor en Londres.

— Es que Londres es un punto de vista como el desierto es otro.

— ¿Entonces para usted Londres no es superior á un desierto?

— Comercialmente, socialmente, sí; pero individualmente, no.

— Para mí de todas maneras.

— Yo en Londres no veo más que moral en forma de hipocresía, respetabilidad en forma de traje y arte en forma de esnobismo. Respecto al pueblo inglés, no me entusiasma ; un pueblo que adora su aristocracia, me parece un pueblo vil.

— Pero ese pueblo y esa aristocracia han hecho una labor immensa.

— No digo que no, pero á mí no me sirve de nada. Desde la ley de Dios hasta la ley del Inquilinato, se han hecho sin mi consentimiento y contrariando mis instintos, y nos las acepto...

Á mí no me gustaba terciar en estas discusiones; conocía el repertorio de las frases paternales, y ya no me hacían efecto.

COMIENZA LA BUENA ESTACIÓN

Comenzaba la buena estación. El hotel estaba animadísimo; los árboles de las plazas vecinas se llenaban de hojas, piaban los pájaros entre las ramas, y en las ventanas de las casas negruzcas por el humo, brillaban crisantemos y rosas de vivos colores. Algunos hombres, subidos á una altísima escalera, iban limpiando y restregando las fachadas y quitándoles su manto de carbón y de mugre; otros pintaban puertas y ventanas y pasaban una esponja por las cristales.

Papá y yo solíamos con frecuencia dar grandes paseos. Yo iba viendo cómo todas las semanas disminuía el poco dinero que nos quedaba, y acosaba á mi padre para que se decidiera y tomáramos una determinación.

Mi padre no se preocupaba para nada de estas cosas, y pasaba las horas muertas discutiendo con madame Roche, ó hablando en el salón con la señora argentina y con las otras damas. La argentina, madame Rinaldi, había descubierto que tenía neurastenia y necesitaba consultar al doctor á cada paso.

Mi padre era el gallito de las señoras del hotel, sobre todo de las extranjeras que hablaban francés. Lucía entre ellas su ingenio chispeante y su acento parisiense puro.

Una señora francesa, muy elegante, casada con un inglés empleado en Egipto, madame Stappleton, guardaba para mi padre la más amable de sus sonrisas y no se recataba en decir que era un hombre excepcional.

— Su padre de usted — me dijo varias veces — es encantador. Es un tipo de d'Annunzio, completamente de d'Annunzio. Parece el héroe de « Las Vírgenes de las Rocas ».

Yo hubiese deseado ver á mi padre un poco menos héroe y un poco más práctico; pero no había medio de conseguir esta beneficiosa transformación ; toda su actividad la empleaba en brillar entre las señoras. Madame Stappleton parecía haber hecho en él gran efecto; así él lo daba á entender, aunque yo comenzaba á dudar un

poco de la veracidad de los sentimentalismos paternales.

Esta señora francesa no podía acostumbrarse á
Londres. Encontraba á los ingleses poco interesantes; buenos sí, pero nada más : máquinas para
hacer dinero solamente. Ella deseaba algo más,
y al decir esto expresaba su disgusto con una
mueca de niño desilusionado que no encuentra
la diversión que espera en sus juguetes. Padecía
esta señora, según diagnóstico de mi padre, un
romanticismo francés, que es, según él añadía, un
romanticismo de gente bien alimentada.

Además, en Londres, decía madame Stappleton, todo era distinto á su querida Francia : clima,
ideas, costumbres, preocupaciones...

— ¿Y todo peor? — le preguntaba alguno.

— ¡Oh, sí! — exclamaba ella —. Absolutamente. ¡París! Sólo en París se vive.

Á madame Stappleton no le preocupaba, como
á su amiga madame Roche, el aspecto general de
la vida de las mujeres, sino su tragedia, la pequeña tragedia de su aburrimiento, la desilusión de
no tener á su marido ó á su amante, probablemente mejor al amante que al marido, hecho un
trovador constantemente á sus pies.

La situación del sexo femenino no le producía
el menor quebradero de cabeza.

Mi padre le dijo una vez :

— La desesperación de usted, madame Stappleton, me parece completamente literaria. Si su
esposo tuviera ese carácter mixto de adhesión y
sutileza psicológica, tan anhelado por usted, probablemente se aburriría usted más.

— ¡ Oh, no !

— Sí. Con seguridad.

Madame Stappleton comenzó con su voz de flauta otra explicación para fijar con claridad cuáles eran sus deseos.

— Al final de todas sus explicaciones — replicó mi padre — no se ve más sino que es usted una mujercita que quiere y no quiere al mismo tiempo. Se queja usted de la monotonía de la vida.

— ¡ Oh, sí ! Es muy triste, muy igual.

— Y quisiera usted una vida agitada…, pero le da á usted miedo la vida inquieta. El puerto es triste, es verdad; la mar es hermosa, pero tiene tempestades. Usted quiere una mar tranquila, sin olas, sin borrascas, navegar siempre cerca del puerto. Esto es muy cómodo, pero no puede ser.

— ¡ Oh, pero también quiero la agitación !

— No, no.

— Si es que no sé buscarla, es que no sé el camino, señor Aracil.

— ¡ El camino ! El camino se lo hace uno mismo; ahora que una mujer tiene que estar dispuesta á jugar en un momento el porvenir, la vida, la comodidad, los vestidos elegantes, el *flirt*.

— ¡ Pero eso es tan triste… !

— ¡ Pero eso es tan aburrido… !

— Entonces hay que vivir tranquila.

— ¡ Yo creo que madame Stappleton tiene razón — dijo Roche; — hay una manera de no jugar en un momento la vida, ni el *confort*, ni el posible y permitido *flirt*.

— ¿Y es? — preguntó madame Stappleton.

— Es seguir el camino tortuoso.

— ¡El camino tortuoso! ¿Es que hay alguno que no lo sigue? — dijo madame Roche.

— Sí, hay muchos que van por el camino recto — contestó con sequedad su marido.

— Y en mi situación, ¿qué sería seguir el camino tortuoso? — preguntó madame Stappleton.

— Tomar sin duda un amante — dijo mi padre.

— ¡Un amante! ¿Acaso es fácil encontrar un amante? — replicó la francesa con un gesto de cómico enfado —. Un marido, sí. Cuando se tiene dote es fácil encontrar un marido; aun sin dote. Pero un amante...¡ Oh, un amante!...

Todos se echaron á reir.

Madame Roche salió en defensa de su amiga y dijo que los hombres no comprendían á las mujeres.

— Es verdad, no las comprenden — contestó Roche mirando las páginas de una revista que iba cortando con una dobladera. — Ni los hombres comprenden á las mujeres, ni las mujeres á los hombres. Parece que vivimos en dos continentes aparte.

— Las mujeres son más espirituales que los hombres — dijo madame Roche sin mirar á su marido.

— ¡Más espirituales!... ¡Pse! ¡qué sé yo! ¿Habrá mujeres espirituales en la intimidad? Eso ustedes lo sabrán.

Madame Roche echó á su marido una mirada asesina.

— Esto de la espiritualidad — siguió diciendo el escocés — me parece un concepto un poco falso. ¿Usted qué cree, Aracil?

— Sin vacilar estoy con usted.

— Yo no hablo precisamente de espiritualidad — dijo madame Stappleton; — un hombre completamente espiritual sería aburrido... á la larga.

— Yo creo que á la larga y á la corta — repuso Roche.

— ¡ Ah, claro! — contestó la francesa. — Yo no tengo la pretensión de creerme un ángel ni mucho menos. Lo que sí encuentro aquí es la falta del tipo original. Yo había creído siempre que Inglaterra era el pueblo de los originales, de los hombres interesantes, y es todo lo contrario.

— No nos conoce usted bien — replicó Roche dándose con la dobladera en la pierna; — hay tipos de esos de la City que parecen vulgares, y si se fija usted en ellos les verá usted que llevan un laúd debajo del brazo para dar una serenata á su amada, y el puñal así — y puso la dobladera en el cinto como si fuera una daga.

— Búrlese usted lo que quiera, señor Roche, pero yo encuentro que un inglés se parece á otro inglés como dos gotas de agua, y que todos son muy monótonos — dijo la francesa.

— En la intimidad hay que vernos — contestó el escocés; — cuando nos ponemos á cambiar grandes pensamientos y el uno dice con la cara muy seria : « ¡ Vaya un tiempo ! », y el otro contesta : « Sí, llueve mucho »; y el primero añade : « Ya hace una semana que está lloviendo », y el segundo agrega : « Una semana y dos días. » Usted no nos conoce todavía, madame Stappleton. El día que nos conozca, comprenderá usted la superioridad de Inglaterra sobre el continente.

EL SEÑOR MANTZ, LA BESTIA NEGRA

En aquella tertulia de señoras, la mayoría extranjeras, reunidas por la casualidad en un hotel y en donde mi padre llevaba la voz cantante, había un señor que representaba el desairado papel de comparsa y á quien nadie estimaba por su falta de originalidad y de chispa.

Era este señor un hombre de unos cuarenta y cinco á cincuenta años, pequeño, afeitado, con lentes, de labios finos y frente abombada, pelo gris, cuello de camisa muy exiguo y una corbata negra, infinitesimal de puro diminuta, que parecía trazada con un tiralíneas. Al señor Mantz, así se llamaba, se le hubiera podido tomar por un tipo insignificante, á no ser por sus dientes blancos, fuertes y amenazadores. Los dientes del señor Mantz le extraían de la vulgaridad y le daban un carácter agresivo y perruno.

Mantz era caballero y galante, tenía una galantería á prueba de desaire. Siempre salía á la defensa de las mujeres de una manera ruda, y ellas jamás se lo agradecían.

Una escritora inglesa ha dicho que los hombres que comprenden á las mujeres sin idealizarlas, son unos miserables. El señor Mantz no tenía nada de miserable.

Toda la gente le huía, mi padre le hacía blanco de sus sátiras y madame Stappleton manifestaba por él un desdén olímpico.

— O, c'est fatigant! — decía con una voz lánguida como si estuviera abrumada con la presencia del buen señor.

Papá, riendo, le advirtió una vez que le desdeñaba demasiado.

— Es que no me gusta que nadie me secuestre — dijo la francesa; — por eso no hago caso de ese señor tan pesado.

— ¿Y á usted no le gusta secuestrar? — preguntó mi padre.

— ¡Oh, es muy posible! — contestó ella con los ojos brillantes y moviendo afirmativamente la cabeza.

Mantz, ahuyentado por todos, cuando vió que yo me dedicaba á estudiar el inglés y el alemán, se brindó á darme lecciones y á resolver mis dudas gramaticales.

El señor Mantz estaba empleado en una casa de comercio de la City. Era hijo de alemanes, pero se sentía el inglés más inglés de Inglaterra.

El señor Mantz era una excelente persona en todo, menos tratándose de cuestiones patrióticas, porque entonces se transformaba y se convertía en una fiera y no quería más que guerras, fusilamientos y barbaridades.

Á mi padre le guardaba rencor por una frase inmprudente que le había oído.

Un día un joven ingeniero llegado de la India contaba en el salón que allá, aun en el campo y en los parajes más apartados, el empleado inglés de noche se pone el frac para presentarse á la mesa.

— Hace bien — dijo Mantz secamente; — esto lo hace para distinguirse de las razas inferiores.

— ¿Á quiénes llama este señor inferiores? — preguntó mi padre con aire impertinente, — ¿á los indios ó á los ingleses?

Mantz, que lo entendió, volvió la espalda y no dirigió más la palabra á mi padre. Desde entonces, siempre que le veía le miraba como si se tratara de un mueble. En cambio, por mí manifestaba bastante simpatía.

La preocupación constante de Mantz era Inglaterra, su Inglaterra. Cuando volvía á casa de su trabajo, comía con rapidez, y al momento se marchaba al fumadero, encendía la pipa y se enfrascaba allí en la lectura.

Siempre estaba con el *Anuario Naval* del año hojeando revistas técnicas de cuestiones concernientes á la Marina, y comparando las distintas flotas de los diferentes países del mundo.

Cuando veía que el Japón, Alemania ó los Estados Unidos construían un nuevo barco de combate se ponía frenético, sentía una verdadera desesperación; en cambio los triunfos de la marina inglesa, guerrera ó mercante, los consideraba como suyos.

Para el señor Mantz, Inglaterra nunca peleaba más que por la justicia y por el bien, nunca había defendido una mala causa, y, como es lógico, habiendo Providencia, siempre sin excepción vencía á los demás países. Para el señor Mantz, Inglaterra era como el brazo de Dios, la defensora nata del derecho divino y humano.

Mi padre solía decir con sorna comentando las opiniones de Mantz :

— No. Si es verdad. ¡ Si yo creo que el señor

Mantz tiene razón ! Inglaterra siempre defiende el
derecho. Es cosa que no se puede negar. Ahora
que cuando puede apoderarse de algo se apode-
ra, y en esos momentos no le parece oportuno
defender el derecho. Pero cuando no puede apoderarse de nada, ¡entonces hay que ver á Inglaterra defendiendo el derecho con entusiasmo,
sobre todo si puede impedir que otro país siguiendo
sus prácticas se quede con algo !

Yo creo que en esto mi padre tenía razón ; pero,
por otra parte, tampoco me parece mal que la
gente que está en los comercios y no tiene otra
diversión sea patriota.

Muchas veces Mantz escribía al Ministerio haciendo advertencias que le sugerían sus lecturas.
Su muletilla constante era ésta : Si ha de haber
guerra con Alemania, cuanto antes mejor, hoy
mejor que mañana, y este año mejor que el
próximo.

Todo el que hablara á Mantz de una subleva-
ción de la India ó de Egipto ó de la independencia de Irlanda, era sólo por esto su mayor enemigo.

Cuando llegué á tener alguna confianza con el
señor Mantz, le expuse mi deseo de conseguir un
empleo. Mantz tomó el encargo con toda la seriedad característica en él, y por las noches solía
enterarme de las gestiones que iba haciendo.

CAPITULO V.

LA CASA DE WANDA

LA conducta de mi padre° comenzaba á avergonzarme. Además de no ocuparse para nada de buscar trabajo, escandalizaba el hotel. Se había enredado con la francesa y se repetían con demasiada frecuencia las escenas desagradables, las murmuraciones y cuchicheos. En Inglaterra como en todas partes hay una afición extraordinaria á la chismografía, y nuestro hotel parecía una casa de vecindad.

Betsy me dijo una porción de cosas que se contaban de la francesa y de mi padre. Al parecer, ninguno de ellos se recataba en demostrarse su afecto. En sus relaciones no guardaban la compostura exigida por la hipocresía inglesa, y había escándalos continuos, pues mi padre como la francesa, no era partidario de los aires solemnes y les gustaba á los dos que se enterasen los demás de su intimidad.

Al último intervino la dueña de la casa y me encargó que hiciera á mi padre una advertencia verdaderamente desagradable.

Claro que yo no le dije nada. Estaba violenta

en la casa y solía salir á todas horas. Muchas veces entraba en el Museo Británico, que se hallaba muy cerca del hotel, á distraerme.

Una tarde me encontré allí con Natalia Leskov, la muchacha rusa, pintora, que había conocido en casa de O'Bryen, el diputado socialista. Se hallaba dibujando una estatua de Ceres, en compañía de una joven noruega, Wanda Rutney, que se dedicaba también á la pintura.

Charlamos las tres largo rato y después Wanda nos convidó á tomar el té en una pastelería de Oxford Street. Hablamos de nuevo y Wanda me invitó varias veces á que fuese el sábado siguiente á pasar el día en su casa. Vivía en un pueblecillo próximo á Slough. Se lo prometí y quedamos de acuerdo.

Wanda era una muchacha alta, fuerte, de cabeza pequeña y cara infantil ; sus ojos azules expresaban lealtad y candidez; su andar y sus ademanes eran de un aplomo verdaderamente majestuoso, y el pelo castaño le caía en rizos sobre la frente tersa y pura. Wanda tenía un aspecto de gran energía vital y de elegancia al mismo tiempo, y una risa clara, ingenua, muy simpática.

Natalia era delgada, bajita, con un tipo meridional, de pelo obcuro, ojos inquietos y aire intranquilo. Viéndola por primera vez parecía fea é insignificante, y sólo cuando su rostro se animaba en la conversación llegaba á interesar.

Yo quedé bastante asombrada al saber que Natalia tenía una niña.

— ¿Tan joven y ya es usted mamá? — le pregunté.

— Sí — contestó Natalia riendo; — me casé á los quince años de una manera romántica. En un concierto que dió Grieg, en San Petersburgo, conocí al que fué mi marido. Era mi segunda pasión.

— ¿La segunda? — preguntó riendo Wanda.

— Sí; mi primera pasión fué un pope del colegio. El tenía sesenta años y yo doce. Como digo, fué mi segunda pasión. Hablamos de Peer Gynt, de Ibsen y de Grieg, y él se enamoró de mí y yo de él. Por la noche, al ir á casa, le dije á mi madre : He conocido en el concierto á un joven y me voy á casar con él. « Está bien, Natalia — contestó mi madre; — quiera Dios que hagas una buena boda. » Nos casamos, tuve una niña; pero mi marido era de poca salud, y murió. Ahora, gracias á mi amiga — y apretó el brazo de Wanda, — voy viviendo.

Wanda me explicó el carácter de Natalia. Era esta pequeña rusa de un corazón de oro, pero arrebatada y loca; tenía una generosidad extraordinaria y unos cariños frenéticos; pero en cambio, á quien tomaba ojeriza, le odiaba con todas las fuerzas de su alma.

Yo simpaticé mucho con la rusa y también con la noruega, y les prometí que el próximo sábado iría á casa de ésta. Me dijeron mis nuevas amigas el tren que debía tomar, y quedamos de acuerdo en que me esperarían en la estación por la tarde.

Si había alguna dificultad, yo les avisaría enviándoles un telegrama. Me gustó relacionarme

con estas muchachas y pensé que quizás podrían ayudarme, ó aconsejarme por lo menos, en
la difícil tarea de buscar un empleo. El dinero
nuestro estaba ya acabándose, y mi padre seguía
sin darse por enterado.

El sábado siguiente salí después de almorzar
y tomé un ómnibus que me dejó en la estación
de Charing Cross. Me senté junto á la ventanilla
en un coche de tercera, é iba á comenzar á marchar el tren cuando un señor elegante entró en el
vagón, se colocó frente á mí, y, después de mirar-
me durante algún tiempo, me dijo en castellano :

— ¿Usted es la hija del doctor Aracil, no?

— Sí, señor.

— ¡ Caramba, cómo se parece usted á su padre !

— ¿Le conoce usted?

— ¿Al doctor Aracil? ¡ Ya lo creo ! He comido
muchas veces en Madrid con él. ¿Y ahora viven
ustedes en Londres?

— Sí.

— ¡ Ah, es verdad ! — exclamó el señor como
si en aquel momento se acordara de una cosa ol-
vidada —. Por eso del anarquista... Es que su
padre no tiene perdón de Dios por hacerse amigo de cualquiera. Con la magnífica posición que
iba adquiriendo en Madrid...

— ¡ Ya ve usted ! — dije yo.

— ¡ Qué lástima ! ¿Y están ustedes bien aquí?
¿Se encuentran á gusto?

— Sí, muy bien.

— ¡ Ah, Londres es un gran pueblo ! Pues iré á
ver á su padre de usted. Es muy simpático. ¿Pa-
sarían ustedes ratos amargos en la huída, eh?

— ¡ Figúrese usted !

— Afortunadamente, tuvieron ustedes un refugio para los primeros días. Algún amigo verdadero, alguna persona de confianza...

— Sí, era un amigo — y enmudecí, sorprendida y alarmada de la curiosidad de aquel señor.

Este siguió hablando con indiferencia de sus conocimientos de Londres, de sus amigos, casi todos duques y marqueses, de teatros y fiestas. Yo contesté con monosílabos; la curiosidad de aquel hombre por saber dónde habíamos estado escondidos mi padre y yo después del atentado, me resultaba sospechosa. Además, recordaba haber visto al mismo hombre rondando nuestro hotel.

Al llegar á la estación me despedí del desconocido con una inclinación de cabeza, bajé del tren y me reuní con Wanda y Natalia, que me esperaban.

Seguimos las tres por una carretera bordeada de casitas pequeñas con jardines. Todas estas casas tenían una gran variedad; la mayoría eran tan obscuras que apenas se notaba el ladrillo con que estaban construídas; otras eran de cemento, algunas de madera, dos ó tres recién construídas brillaban tan rojas que entre los árboles parecían grandes flores de geranio. Muchas de estas casas tenían delante, dando á la carretera, altos árboles con guirnaldas formadas por rosales que entrelazaban los troncos; en los jardines alternaban los jacintos, las azaleas y las matas de peonías cargadas de flores rojas.

— Esta es la casa de Wanda — dijo Natalia señalando una de aquéllas.

Era una casita pequeña, de ladrillos ennegrecidos, con tejado de pizarra y paredes medio ocultas por hiedra. Contrastaba la poca altura del hotel con la gran elevación de su tejado, que era tan alto como toda la casa y tenía una serie de chimeneas de distintos tamaños que parecían los tubos de un órgano.

En la obscura fachada, negruzca por la humedad, se abrían los miradores con sus cortinillas blancas recogidas á los lados, y en el piso bajo, formando como un zócalo, á dos grandes ventanas de guillotina brillaban y resplandecían crisantemos y rosas de todos colores.

Nos acercamos á la casa, llamó Natalia, salió á abrir una criada vieja y pasamos á un salón bajo de techo, con una gran chimenea de ladrillo, en donde ardía un hermoso fuego de leña. Wanda me presentó á su madre, una señora de pelo blanco, de aire algo imponente, que bordaba cerca de la lumbre.

La madre no nos quiso retener junto á ella y me dijo que no podía hacerme los honores de la casa, estaba algo impedida por el reuma, y que Wanda los haría en su lugar.

Se hallaba todo tan bien arreglado en la casa, de una manera tan cómoda, tan simpática, que daban ganas de quedarse allí para siempre. El salón era grande, con una chimenea tosca de ladrillo, adornada con una porción de juguetes y figuritas de porcelana. El techo, de madera, tenía color de humo; en las paredes colgaban algunos

cuadros antiguos y obscuros. Desde la antesala
del piso bajo subía al principal una escalera de
madera lustrosa que despedía un olor suave á
hierbas aromáticas. Subimos por esta escalera,
que conducía á las alcobas y al comedor. En el
primer rellano había una ventana abierta al jardín
y entraba por allí una luz verde de un efecto muy
extraño.

Los muebles, lo mismo que el suelo, despedían igual olor suave de hierbas aromáticas. El
jardín estaba circundado por una tapia oculta por
rosales trepadores, enredaderas y madreselvas.
Algunos tilos y magnolias levantaban su follaje
por encima de la casa. Wanda, Natalia y yo nos
asomamos á uno de los miradores que daban al
camino por donde habíamos venido. Se veían á
poca distancia las masas frondosas de los árboles
de un parque. El cielo, de color perla, estaba limpio, transparente, no turbado y sucio por el humo
como en el interior de Londres. Por la carretera
pasaban algunos ciclistas, y el cartero con un
saco al hombro iba repartiendo cartas y repique-
teando con la aldaba en las puertas.

Un camino transversal partía sinuoso desde
enfrente de la casa de Wanda y se alejaba cruzando primero una pradera apenas ondulada, que
parecía una mancha verde salpicada de puntos
dorados, y luego perdiéndose en una altura po-
blada de pinos.

Estábamos contemplado las tres el paisaje
cuando vi á lo lejos que se iba acercando á la
casa el hombre que me había hablado en el tren,
y me retiré rápidamente del mirador.

— ¿Qué hay? ¿Qué le pasa á usted? — me preguntó Natalia.

Conté la conversación que había tenido en el tren con aquel hombre y expuse mis sospechas.

— ¿Y es éste tan elegante? — dijo Wanda.

— Sí.

— ¿Será algún espía?

— Seguramente — afirmó Natalia.

Al pasar por delante de la casa el hombre miró con curiosidad, pero al ver que habíamos notado su espionaje no volvió más.

Con este motivo, Natalia contó la historia de una amiga suya finlandesa, hermana de un nihilista, á la cual perseguían los agentes rusos por toda Europa. La finlandesa tenía un perro de Terranova magnífico, y por el perro averiguaban dónde se escondía. Regalaba el animal, pero éste se escapaba y volvía á su casa. Tenía tal cariño por su ama, que subía á los coches y á los vagones de los trenes, y no había modo de desprenderse de él. Á lo último, y con gran sentimiento por su parte, la dueña tuvo que envenenar á su perro para librarse de la persecución de la Policía.

Natalia, exaltándose con su misma narración, aseguró que ella, en el caso de su amiga y viéndose acosada, hubiera pegado un tiro al primer polizonte que hubiese intentado únicamente hablarle.

EL TÉ

Á la hora del té se reunieron en el salón varios amigos de Wanda y de su madre; los primeros en llegar fueron un marino noruego ya retirado, hombre alto, fuerte, acompañado de un sobrino suyo, el teniente Moller, que era un muchacho tan guapo que parecía un Apolo.

Vino después un médico ruso, amigo de Natalia, tipo barbudo, melenudo, con anteojos, muy descuidado en el vestir y de aspecto burlón; después un señor viejo, un pintor que había dado lecciones á Wanda, y dos señoritas rusas, escritoras, una de ellas hombruna, morena, de ojos negros, facciones pronunciadas, andares decididos é indumentaria masculina. Esta se llamaba Julia Garchin. La otra rusa era bajita, tímida, morenita, con los ojos torcidos y la nariz pequeña y redonda. Se llamba Ana Petrovna y era hija del general Riazanov, uno de los defensores más acérrimos de la aristocracia rusa.

Ana Petrovna, después de afiliarse al socialismo, se había escapado de casa de sus padres y huído á Zurich, donde había intimado con Julia.

— ¿Y Vladimir? ¿No ha venido Vladimir? — preguntaron las dos al mismo tiempo, poco después de llegar.

— No — contestó Wanda sonriendo.

— ¿Pero vendrá?

— Creo que sí.

— ¿Quién es Vladimir? — pregunté á Natalia.

— Vladimir Ovolenski es el polaco que vimos en casa de O'Bryen el diputado.

— ¡Ah! Sí, sí.

Yo fingí que no recordaba, pero tenía muy presente el tipo aquel de la mirada intensa y de la cara irregular.

— Vladimir es amigo de la casa y suele venir todos los sábados — añadió Natalia.

Después de tomar el té pasamos al salón y nos acomodamos cerca de la lumbre. Julia y su amiga encendieron cigarrillos turcos, los hombres fumaron su pipa y comenzó una discusión general.

Hablaban todos con un verdadero placer seguramente de cosas que habían discutido infinidad de veces, pero que á ellos les parecían sin duda siempre nuevas.

Julia Garchin llevaba la voz cantante del feminismo, y desde el momento que se comenzó á discutir los derechos nuevos de la mujer salió á colación la Nora de Ibsen.

El marino noruego aseguró que en su país no había tipos como los pintados por Ibsen.

— Allí todo el mundo es muy equilibrado, muy normal — y dirigiéndose á su sobrino el bello teniente Moller, añadió : — ¿Tú has visto alguna vez gente así en nuestro país?

El teniente se encogió de hombros; la único que interesaba á aquel Apolo escandinavo en la reunión era la actitud de Wanda con respecto á él. Para Julia, el tipo de Nora había envejecido ya y las mujeres actualmente no se podían contentar con las libertades cantadas por Ibsen.

La madre de Wanda se colocaba en un prudente término medio. Ella encontraba bien que la mujer viviese para su marido y para sus hijos; pero creía que no debía olvidarse de sí misma, y que si quería renunciar á su personalidad social, lo hiciese por gusto y no por imposición de la ley.

— No, no — dijo Julia; — de ninguna manera debe renunciar la mujer á su personalidad social.

Yo estuve de acuerdo con la madre de Wanda.

Natalia comenzó á recitar con gran entusiasmo en ruso, un trozo del poema de Nekrassov, en que se canta la odisea de la princesa Wolkonsky; pero Julia, después de pasado el entusiasmo producido por la poesía del gran poeta revolucionario, protestó con calor. Aquella adhesión de la princesa á su marido, que le hacía seguir hasta las estepas siberianas, indignaba un poco á la joven libertaria.

Julia Garchin quería la supresión del matrimonio y la igualdad absoluta de derechos entre los dos sexos, y si se aceptaba alguna ventaja, que fuese en beneficio de la mujer, ya que ésta se hallaba bajo el peso de la maternidad y había sufrido la esclavitud durante tantos siglos.

— La igualdad sería imposible — dijo el marino noruego; — la mujer no sirve para las mismas faenas que el hombre. No vale para muchas cosas.

— Yo creo que vale más.

— ¿Hasta para subir al palo mayor? — preguntó irónicamente el marino.

— Para todo. Además tiene más nervio, mayor vigor moral, y es capaz de cualquier sacrificio para ayudar á la emancipación humana. El hombre moderno, cobarde y vicioso, no piensa más que en sus placeres y en su satisfacción personal.

Julia dijo estas últimas palabras con marcado gesto de desprecio.

— ¡Sea! Yo no digo que no — agregó el marino; — yo lo que puedo decir á usted es que en muchos matrimonios que he tratado, nunca ó casi nunca he visto á las mujeres interesarse en la profesión del marido. Si éste es médico, la mujer no quiere que se le hable de enfermedades; si es ingeniero, su esposa no sabe sumar. Sólo he visto que en el comercio al por menor la mujer colabora con su marido, lo que no me choca, porque el comercio tiene algo de robo y lo entiende cualquiera.

— ¿No querrá usted decir que todas las mujeres somos imbéciles? — preguntó agriamente Julia Garchin.

— No, no; ¡líbreme Dios!

— Ya sabe usted lo que dice Nietzsche — dijo Ana Petrovna, la rusa morenita y tímida. — La mujer el entendimiento, el hombre la sensibilidad y la pasión.

— ¡Oh, no! — dijeron varias voces.

— Eso no puede ser verdad — añadió Natalia.

— ¿Quién sabe? — dijo Wanda —. Los hombres son más artistas que nosotras.

— Eso de Nietzsche será verdad ó mentira, yo no lo sé — añadió el marino, — pero en el fondo no es otra cosa más que afirmar lo contrario de lo que dice todo el mundo.

— Pero, en fin, más artistas ó menos artistas — repuso Wanda, — yo creo que lo que dice Julia es verdad. La mujer es tan fuerte como el hombre.

— Ó quizás fuera mejor decir — agregué yo; — el hombre es tan débil como la mujer.

— ¡Oh, escéptica! ¡Española escéptica! — exclamó Natalia. — Turguenef también afirma siempre la debilidad del hombre y la fuerza de la mujer. ¿Usted no habrá leído á Turguenef? — me preguntó luego.

— ¡Oh, sí!

— ¿De veras? ¿Y qué, le ha gustado?

— Me ha parecido ideal, pero tan triste, tan melancólico, que me ha hecho llorar.

Natalia se acercó á mí y me estrechó las manos como dándome las gracias por haber dicho esto. Ana Petrovna afirmó lo dicho por nosotras con citas de Feuerbach, de Herzen y de Tolstoï.

Á Natalia no le gustaba Tolstoï.

— Leí la *Sonata á Kreutzer,* de recién casada — dijo, — y me hizo una malísima impresión.

Julia tampoco se sentía partidaria de Tolstoï, porque, aunque el gran escritor era anarquista, quería llegar á suprimir la autoridad y el mal de un modo pasivo.

Wanda preguntó si creían que las ideas ó las lecturas podían dar serenidad.

— Á mí — añadió después, — á pesar de mi alegría y de mi salud, muchos días la vida me da una impresión de algo tan fofo, tan sin substancia y tan poco real, que me asusto. Las conversaciones, las personas, las cosas, todo entonces me produce una impresión de insignificancia... Y me parece que sería mejor estar durmiendo en un campo santo.

El teniente Moller dijo que no comprendía esto.

— ¿Qué es lo que no comprende usted? — preguntó Wanda.

— No comprendo cómo á una muchacha tan...
extraordinaria como usted le puede pasar esto.

— Ya veo que no comprende usted muchas cosas — replicó ella con viveza.

— Sí, es verdad — repuso él riendo. — Cuando se habla de filosofía, sobre todo, no comprendo
nada. Cierto que no pongo atención en lo que
dicen.

Wanda contempló sonriendo al bello teniente,
y nada dijo.

El médico de las melenas, llamado Schetinin,
explicó los trabajos que estaba haciendo para
una fábrica de productos químicos y farmacéu-
ticos. Según él, antes de poco se podrían crear
por síntesis química substancias orgánicas para
la alimentación del hombre.

— ¿Y con qué? — preguntó el marino.

— Con el aire, con el agua, con las susbtan-
cias minerales.

Después, volviendo con un cambio brusco á
la cuestión social, atacó las ideas que acababa
de exponer Julia desde un punto de vista darwi-
niano.

— Todos esos esfuerzos de los revolucionarios, en último término, son inútiles. La humanidad tiene que desaparecer sin dejar rastro. ¿Para
qué sacrificar nuestra vida en beneficio de la especie, si al fin la especie ha de desaparecer?

Julia no supo qué contestar. Estaba, sin duda,
pensando la réplica, cuando apareció en la puerta
la cabeza extraña de Vladimir con su barba en
punta. Entró despacio y, antes de saludar, dijo :

— Contra el pesimismo de usted, querido doctor, nosotros los revolucionarios oponemos nuestro optimismo cósmico.

— ¡ Ah !, ya está aquí Vladimir — dijeron dos ó tres voces al mismo tiempo.

Vladimir saludó primero á la madre de Wanda, luego á los demás, y estrechó mi mano.

Dijo que me recordaba de la tertulia de O'Bryen. Después se sentó en un sillón, conjeturó lo que acababa de decir el doctor Schetinin, y lo fué rebatiendo.

La señorita Garchin cogió la idea expresada por Vladimir del optimismo cósmico, y la desarrolló. Ella también creía que los esfuerzos de la humanidad en la Tierra no se perderían aunque desapareciera el planeta, y que podrían ser aprovechados en otros mundos.

El marino noruego, hombre de buen sentido, afirmó que en la vida hay una serie de accidentes y de solicitaciones, como decía él, bastante fuertes para no tener que recurrir á un consuelo tan lejano y tan metafísico como el del optimismo cósmico.

Respecto al amor libre y á la igualdad de derechos entre los dos sexos preconizada por Julia, casi le parecía una verdadera simpleza, porque la libertad para el amor en la mujer no podía venir más que como efecto de la independencia económica.

El doctor Schetinin estuvo de acuerdo, y el marino, viéndose reforzado con una opinión de peso, aseguró, mientras echaba bocanadas de humo de tabaco, que muchos de los problemas mo-

dernos se resolverían afianzando la familia y la
autoridad paternal.

Nunca lo hubiera dicho. La señorita Garchin,
fuera de sí, se desató en frases terribles contra los
padres y la autoridad familiar. Vladimir reía con
una risa burlona ; los demás celebramos también
un poco irónicamente la indignación de Julia.

Luego Vladimir tomó la palabra : hablaba ma-
ravillosamente, tenía una elocuencia y una facun-
dia avasalladoras. Además, había en él un fervor
por las ideas generosas y humanitarias que se co-
municaba á los demás. Yo le contemplaba con
atención. Me recordaba algo á mi padre. Una pare-
cida exhuberancia y la misma facilidad de expresión.

— ¿No sería también un farsante? — me preguntaba.

No he visto jamás un hombre que tuviera mayor atractivo.

Me acerqué á la ventana y la abrí. La noche
estaba fresca; llovía á ratos. De los árboles llegaba un aroma delicioso. Al correrse las nubes,
alguna estrella tímida parpadeaba en el cielo...

Ahora todos hablaban á la vez. Yo estaba un
poco asombrada de esta charla frenética y constante.

Cuando los amigos de Wanda fueron desfilando,
respiré más á gusto. Yo quería saber algo de Vladimir, pero no tuve la franqueza de preguntar á
Natalia acerca del joven polaco é intenté llevar la
conversación hacia él dando un maquiavélico
rodeo.

— Son terribles estos rusos — dije; — no paran de hablar.

— Pues todos son así — contestó Natalia riendo. — Cuando estudiaba mi hermano Medicina, él y todos sus amigos se pasaban la vida fumando y discutiendo. Algunos eran verdaderos comunistas; se reunían cinco ó seis, y con el dinero de uno un poco más rico comían todos.

— ¿Y qué discuten? Siempre cuestiones políticas.

— Siempre Política y Sociología. El Arte no les apasiona, porque dicen que todo lo que sea apartar el pensamiento de los desheredados es un crimen. El poeta que más les entusiasma es Nekrassov.

Yo encontraba aquellos tipos demasiado ruidosos y exagerados.

— ¿Y Vladimir? — dije por último.

— Vladimir es un hombre extraordinario. Yo le considero como un hombre casi perfecto.

Yo sonreí burlonamente no sé por qué, y Natalia al notarlo se ruborizó como una niña.

— Es verdad lo que dice Natalia — aseguró Wanda. — Vladimir es un hombre de mucho talento. Aun la persona más predispuesta contra él se hace amigo suyo y entusiasta á la segunda vez que le oye.

— ¿Y qué es?

— Es médico, escritor y revolucionario.

Después de comer, Natalia tocó el piano, y cuando la señora de la casa se retiró, nosotras subimos al estudio de Wanda. Abrimos un ventanal que daba al campo. La noche estaba espléndida, el silencio era profundo, llovía á ratos, y se oía el gotear de la lluvia menuda en el cristal de la claraboya.

Hablamos hasta muy entrada la noche. Natalia tradujo al inglés los versos de Nekrassov acerca de la princesa Volkonsky, que con tanto entusiasso había recitado á la hora del té; luego volvió á recaer la conversación acerca de Vladimir y de su influencia en la revolución rusa.

La mayoría de las anécdotas que se contaban de él debían de ser inventadas, pero concordaban muy bien con el tipo trágico del revolucionario.

Hablamos luego de nuestras respectivas ilusiones amorosas; Wanda sentía un gran romanticismo y se figuraba el hombre que había de unirse á ella como un semidiós de una leyenda escandinava.

— ¿Como el teniente Moller? — le pregunté yo irónicamente.

— ¡Oh, no! El teniente Moller es demasiado bonito para marido. Me gustaría que fuera mi hermana — contestó ella riendo con malicia ingenua. — Al final, no crea usted, me contentaría con un hombre de corazón.

— Es que quizás sea eso pedir demasiado — dije yo.

Natalia pensaba en su hija y todos los proyectos del porvenir los refería á ella. Yo escuchaba. Me alentaba en compañía de estas dos amigas el verlas pensando en vivir en línea recta, sin abdicar, sin recurrir á la indignidad ni á la mentira.

Además, en medio de estas gentes vehementes y apasionadas, me sentía muy dueña de mí misma, con el convencimiento íntimo de que sabría dominar cualquier ímpetu de mi naturaleza.

EN EL CAMPO

Charlamos hasta muy tarde y nos acostamos pasada la media noche.

Al día siguiente, al asomarme á la ventana, vi con gran pesar que seguía lloviendo; pero me tranquilicé pronto, porque un instante después cesó de llover, se levantaron las nubes y el cielo quedó puro y sereno.

En el follaje de los tilos y de las magnolias del jardín brillaban los rayos de sol y se oía el gorjeo estrepitoso de los pájaros.

Bajé al comedor, donde me esperaban Wanda y Natalia; almorzamos juntas y salimos de casa. El tiempo estaba hermoso, el cielo gris perla, azulado, con algunas nubes blancas en el horizonte; á ratos caían gotas de lluvia y la tierra exhalaba un hálito de frescura. Atravesamos prados verdes zurcados por constelaciones de flores; seguimos caminos bordeados de oxiacantos y nos paramos á sentarnos en las piedras. Dimos vuelta al estanque de un molino, sombreado por árboles, lleno de agua immóvil, y cruzamos por un campo comunal, por entre altas hierbas, hasta un bosque de antiguos cedros.

Nos sentamos sobre el césped; el sol, un sol pálido, brillaba y caía en manchas amarillas sobre el suelo.

— ¿Y hay hermosos paisajes en España? — preguntó Wanda.

— Sí — contesté yo.

— ¿Como éstos?

— No. Es otra cosa.

— ¿De más color? — preguntó Natalia.

Yo no sabía explicarme bien. Aquello me parecía una cosa suave, dulce, amable; ¿pero cómo compararlo con los parajes heroicos del Guadarrama y de Gredos, por donde había pasado llena de angustia?

Después de almorzar estuvimos tomando café y charlando en el jardín, que estaba algo descuidado, pues los cardos y las malas hierbas vigorosas disputaban el terreno á las azaleas rojas y blancas, á los rhododendros magníficos y á los tulipanes de rosa y de púrpura.

Wanda hizo dos hermosos ramos, uno para Natalia y otro para mí. Por la tarde, luego de tomar el té, paseamos por la pradera próxima, en donde algunos muchachos y muchachas de las casas vecinas jugaban al *tennis* y al *cricket*. El cielo, de un azul muy pálido, se extendía sonriente por encima de las laderas verdes ; las hayas se engalanaban con guirnaldas de lilas ; en los taludes, llenos de hierba, brillaban flores silvestres, y pacían blancos corderos en los prados.

Al anochecer, después de grandes promesas de amistad, Natalia y yo nos despedimos de Wanda y de su madre, y fuimos juntas á la estación. De los hoteles de ambos lados del camino salían voces y notas de los pianos, y algunos niños corrían llamados por sus padres. De la hierba húmeda y de los estanques se levantaban nieblas ligeras, vagas, que iban flotando en la atmósfera; y el cielo gris azulado se llenaba de nubes de color de rosa...

LA VUELTA Á LONDRES UN DOMINGO POR LA TARDE

El tren ha cruzado por verdes praderas en donde todavía algunos entusiastas rezagados juegan al *tennis*. Por el camino, un caballero y una señora pasean en coche; delante de ellos varios muchachos, van jinetes en caballos pequeños. Pasan ciclistas, pasan automóviles atronando con el ruido de sus bocinas, pasa un cazador con su perro. Llega el tren á un pueblecito y la decoración cambia. Á la puerta de un mesón, colgando de un vástago de hierro muy largo, una muestra pintada rechina á impulsos del viento; en el tejado puntiagudo se arrullan dos palomas. Una muchacha con una toca blanca se asoma á un mirador...

¿Estamos delante de una de esas viejas y amables viñetas románticas que representan con tanta ingenuidad la vida humilde y simpática del campo? ¿Esa posada es por ventura la del Dragón Azul, tan admirablemente descrita por Dickens en *Martin Chuzzlewit?* Ese cochero gordo, ¿no será el padre de Sam Weller? ¿No iremos á ver la diligencia vieja con sus postillones elegantes, en donde huye Jingle de la severidad de Pickwick, ó en donde el pequeño Copperfield va á buscar fortuna?

No hay tiempo de hacerse esta illusión. El tren

parte y deja pronto atrás el pueblecillo ; la tarde
muere. Una estrella comienza á temblar en el crepúsculo; las ventanas se iluminan. El campo ha
desaparecido ; entramos en la ciudad... Y empie-
zan á aparecer barriadas immensas, monótonas,
de casuchas bajas, feas, iguales, todas grises y
negras, con sus patios cuadrados y sus chimeneas humeantes, tristes colmenas construídas por
hombres que se creen filántropos.

Ya no se ven caballeros elegantes, ni amazonas, ni jardines, ni coquetas casas de campo en
el fondo; sólo se distingue alguna que otra silueta
de mujer haraposa que va colgando unos trapos
en una cuerda. En las ventanas brillan mortecí-
nas luces eléctricas. No se oye un ruido ni una
voz. Se va entrando en el reino de las sombras
y del silencio al compás del traqueteo del tren y
se sigue viendo casas y más casas sin cesar.

De pronto cruza un tren por delante de los
ojos y sus faros de color tiemblan en la obscuridad de la noche; luego pasa otro y otro.

Se experimenta la sensación, cada vez más
honda, cada vez más intensa, de la propia soledad en el pueblo negro y enorme, en el pueblo
que es un mundo.

El tren se hunde en una trinchera, luego sus
raíles se elevan y corren á la altura del tejado de
las casas; entonces Londres parece una ciudad
subterránea; se ve al pasar, rápidamente, abajo,
una calle alumbrada con focos eléctricos, una
plaza, un gran letrero de una fábrica y una serie
de cables gruesos y de alambres de telégrafo que
forman como una tela de araña colocada á nivel

del suelo, y á través de la cual se divisan calles
y encrucijadas solitarias.

Se mira con angustia desde la ventanilla. El
tren lanza un silbido estridente, se mete entre paredes negras, se ven columnas de señales, faros
de colores que parpadean, y de pronto aparece
el Támesis con sus aguas sombrías en donde
brillan luces blancas y rojas, y desfila rápidamente ante los ojos la hilera de grandes focos
eléctricos del muelle Victoria...

. . . .

Un momento después, en la estación de Charing Cross, Natalia y yo nos despedimos.

— Nos veremos, ¿verdad? — dijo Natalia.

— Sí, muy pronto — y tomé un cab que me
dejó en el hotel.

CAPÍTULO VI

UNA VISITA INESPERADA

Unos días después estaba leyendo en el salón, cuando el criado alemán entró y me dijo :

— Miss Aracil, aquí hay un caballero que pregunta por usted.

— ¿Por mí? Bueno; que pase.

Se abrió la puerta y apareció Iturrioz envuelto en un impermeable con un paquete en la mano izquierda y un grueso paraguas en la derecha.

— ¿Usted? — exclamé con asombro.

— El mismo — dijo tranquilamente Iturrioz despojándose del impermeable.

— ¡Qué sorpresa! ¿Qué ocurrencia le ha dado á usted de venir á Londres?

— Pues verás. Os echaba de menos á tu padre y á ti. ¿Dónde voy á pasar ahora la noche cuando salga de casa?, me preguntaba, y el otro día me encontré con Venancio en la Puerta del Sol y nos pusimos á hablar de vosotros. Yo le dije en broma : Si tuviera dinero para el viaje me iba á Londres á ver qué hacen; y él contestó : Pues yo le doy á usted lo que necesite; y he venido.

— ¿Y Venancio, cómo está?

— Muy bien; la niña se puso buena. Todas aquellas chicas no hacen más que preguntar por ti.

— ¡Pobrecillas!

— Es una familia realmente encantadora.

— ¿Y qué pasa por allá?

— Sigue todo igual. Aquél es un pueblo hundido en una miseria trágica y dirigido por una burguesía imbécil y al mismo tiempo rapaz. ¡Qué país! ¡Qué subversión más completa de valores! Yo empiezo á sospechar si la única fuerza de España estará en los presidios...

Atajé á Iturrioz en su peroración, preguntándole :

— ¿Y qué se ha dicho de nosotros?

— Se olfateó algo de lo que os pasó en el pueblo de donde os escapasteis. ¿Cuacos? ¿No se llamaba Cuacos?

— Sí.

— Hablaron vagamente los periódicos; pero no se logró saber nada. ¿Y tu padre?

— Arriba está.

— Bueno; vamos á verle.

Iturrioz y yo subimos á la habitación de mi padre y charlamos largo rato.

— ¿Y tú qué vas á hacer? — preguntó mi padre á Iturrioz.

— Estaré aquí todo el tiempo que pueda.

— Chico, esto es horrible; no hace más que llover.

— ¡Ca, hombre! Á mí este tiempo me gusta la mar.

Quiso Iturrioz convencer á papá para que sa-
liéramos á dar un paseo; pero papá dijo que no.

Toda la tarde la pasó Iturrioz en el hotel, y ya
de noche se preparó á salir.

— ¿Pero adónde va usted ahora? — le dije yo
asombrada.

— Me voy á buscar un cuarto.

— ¿Á estas horas?

— Sí.

— Quédate aquí — le dijo papá.

— No, no. Esto es para ricos. Ya me las arreglaré para buscar un buen rincón.

— ¿Pero sabe usted inglés? — le pregunté yo.

— Sí; sé unas cuantas frases que me enseñó
en Cuba un chino que había estado en California.

No hubo manera de convencer á Iturrioz de
que se quedara, y se marchó solo á buscar alo-
jamiento.

Unos días después volvió á aparecer nuestro
doctor en el hotel á la hora de almorzar.

— Hoy hace un magnífico día — nos dijo; —
hay que dar un gran paseo.

— ¡Si está todo encharcado! — observó papá.

— ¡Eso qué importa! Hala, vamos.

Me puse unos zapatos fuertes; papá tomó un
paraguas y nos echamos los tres á la calle, diri-
gidos por Iturrioz, que en los pocos días que estaba en Londres lo conocía mucho mejor que
nosotros.

Lloviznaba algo; el cielo comenzaba á clarear;
las calles relucían con la humedad; los cocheros
pasaban con el cuerpo y los sombreros envuel-

tos en impermeables, haciendo evolucionar sus
cabs con una destreza extraordinaria.

— ¿Vosotros no vais á pasear hacia el río? —
nos preguntó Iturrioz.

— No — dijo papá.

— ¡Pero, hombre, si es magnífico! Vamos
ahora mismo.

DISGRESIÓN SOBRE ESPAÑA

Tomamos por una calle nueva, abierta entre
solares llenos de montones apelmazados de ladrillos negros, y desembocamos en el Strand; y
luego, por Wellington Street, salimos al puente
de Waterloo. Avanzamos hasta la mitad y nos
asomamos al pretil del puente. La bruma, entre
amarilla y gris, no dejaba ver más que una silueta
vaga de las casas, de los almaneces y de las barracas levantadas en la orilla del trabajo. Subía
la marea y las aguas turbias iban invadiendo el
cauce cenagoso del río. Á lo lejos se adivinaba
la torre del Parlamento como por entre una gasa
densa de color de limón.

— ¿Qué hermoso, eh? — exclamó Iturrioz.

— ¿Te gusta de veras? — preguntó asombrado
papá. — Á mí este río me parece una gran alcan-
tarilla; bilis y carbón.

— ¡Ca, hombre; si esto es admirable! ¡Si en
Madrid hubiera un río así, ya estaba resuelto el
problema de España! — exclamó Iturrioz.

— ¿Cree usted? — dije yo.

— Con seguridad.

— ¿Y por qué?

— Pon tú la capital de España á esta altura sobre el nivel del mar, con esta atmósfera pesada y húmeda, con río así, y en poco tiempo la gente de allá, en vez de irritable y nerviosa como es, se haría tranquila y equilibrada. El pueblo aumentaría de tamaño rápidamente, crecerían los árboles en sus alrededores, crecería la hierba, y las miradas de los madrileños, en vez de ser intensas y fuertes, se harían vagas y dulces. Los madrileños no tendrían como ahora los nervios excitados por el clima áspero y seco, no serían tan vivos ni harían chistes, estarían más tranquilos, y su inteligencia, más pesada, sería más fecunda. La gente de buena voluntad estudiaría las necesidades del país y desaparecía en las provincias el odio á la capital. Se entraría en un café ó en un sitio público, y no nos miraríamos como nos miramos allí todos, con odio. Madrid sería para España lo que es Londres para Inglaterra, y España estaría bien.

— De manera que con un poco más de humedad y un poco menos de altitud, el problema estaría resuelto — dije yo.

— Con seguridad.

— Y la gente mientras tanto sigue pensando en que para arreglar España es necesaria la influencia de Dios ó la del socialismo — exclamó papá burlonamente.

— Gente supersticiosa — murmuró Iturrioz — que cree que las ideas y los discursos tienen un valor real, de esos que quisieran abrir una ostra tan grande como el mundo con una palabrita persuasiva.

Estuvimos un momento en el pretil del puente. Por el muelle de la orilla izquierda, por delante del palacio de Somerset, pasaban coches y tranvías. Hacia el Este, de cuando en cuando, aparecía á través de la niebla la silueta plomiza de la cúpula de San Pablo.

En la orilla derecha, las fábricas y los almacenes se alargaban al borde del agua, las altas chimeneas echaban una suave humareda, una esfumación gris que manchaba el cielo amarillento, mientras que las chimeneas pequeñas de hierro, de las calderas de vapor, inyectaban en el aire copos algodonosos y apretados de humo blanco.

— Es grandioso todo esto — exclamó Iturrioz de nuevo.

— Sí, es verdad — dije yo.

— Y tiene además — añadió él — el aire tranquilizador del pueblo en el que se ve claramente el manantial del dinero. Es todo lo contrario de Madrid. Allí se ve gente elegante, bien vestida, coches, caballos... ¿De dónde sale aquéllo? Es un misterio. En España todas las fuentes de la riqueza son turbias.

— Aquí ocurrirá lo mismo — dijo mi padre.

— Por la menos, todo esto es claro — repuso Iturrioz señalando la orilla del Támesis.

Pasó junto á nosotros un borracho trompicando por el asfalto.

— Esta es otra de las cosas que me admiran — dijo Iturrioz.

— ¿Qué? ¿El que haya borrachos? — le pregunté yo.

— No, la clase de borrachera — contestó Iturrioz. — Esta es la borrachera individualista pura. Este hombre se ha convencido á sí mismo de que tiene que beber, ha bebido, y se va á buscar un rincón donde tenderse. Este hombre es un emancipado. En España no hemos llegado á eso. Allá, los domingos por la tarde, en las capitales de provincia del Norte sobre todo, se ven borrachos, pero no así, borrachos individualistas, sino borrachos en manada; algunos, por respeto al espíritu de la colectividad, se fingen borrachos sin estarlo. Ahí tienes la sumisión, el espíritu gregario, que dicen ahora. Esa borrachera colectivista es verdaderamente despreciable, alborotadora y ridícula. Si te fijas, María, cuando vuelvas á España, notarás que todos esos adeptos de la borrachera colectivista suelen cantar *Marina*.

— Es que no saben otra cosa — dijo mi padre.

— No. Es que necesitan una música ramplona para una borrachera también ramplona.

EL RÍO

Quedamos los tres contemplado el paisaje nebuloso, casi incoloro. El río, amarillo de cerca, parecía gris á lo lejos. El cielo se iba despejando; se sentía en el aire un olor acre de humedad y de humo de carbón de piedra. Cruzamos el puente de Waterloo con la idea de seguir por la orilla derecha, pero al final vimos que no había muelles por allí; los almaneces llegaban al borde mismo del río, en donde se levantaban descargaderos, planos inclinados, grúas de altos brazos y aire extraño y fantástico.

Estas grúas altas, misteriosas, algunas con la caseta del maquinista giratoria; estos embarcaderos armados sobre grandes vigas clavadas en el fondo del río; los planos inclinados por donde se deslizaban los fardos hasta unas gabarras grandes y negras medio hundidas en el barro del Támesis; los carros arrastrados por pesados caballos; todo esto entre la bruma y el humo tenía un aire huraño y solemne, que á Iturrioz, según dijo, le producía una admiración extraordinaria.

— Es magnífico todo esto — repetía.

— No le suponía á usted tan entusiasta — le dije.

— No, no lo soy; creo que contemplaría el Partenón con la misma indiferencia que un almacén de yeso, pero esto no; esto me asombra.

Volvimos de nuevo por el puente de Waterloo y bajamos al muelle de la orilla izquierda por una escalera abovedada del palacio de Somerset, una escalera húmeda con las losas resbaladizas. En uno de los escalones, una vieja mendiga, de nariz carcomida, acurrucada en el suelo, ofrecía á los que pasaban una bandeja con alfileres y fósforos.

— ¿Qué vida, eh? — murmuró papá irónicamente.

Iturrioz no replicó. Seguimos por el muelle Victoria, cruzamos por delante de la aguja de

Cleopatra y pasamos por debajo de la línea del tren de Charing Cross.

Atravesamos el puente de Westminster y nos detuvimos en medio, por exigencia de Iturrioz, mirando al río hacia su entrada en Londres. Á la derecha se levantaba entre la niebla el Parlamento, inmenso, majestuoso, con su torre del Reloj alta y gruesa. Á la izquierda se apercibían los pabellones de un hospital y á lo lejos un puente de hierro.

Tomamos el muelle Albert. Enfrente, el Parlamento parecía hundido en el río. En la terraza de este inmenso palacio se veían algunos grupos. En las ventanas del hospital de Lambeth aparecían viejos asilados con carmañolas rojas.

Por el río pasaban los remolcadores silbando, humeando; unos arrastraban filas de gabarras cargadas de carbón, otros llevaban tras sí aparejados de dos en dos grandes lanchones, sobre los cuales se levantaba un enorme cargamento de paja ó de heno prensado; al llegar á los puentes, sus chimeneas se abatían como un tronco serrado y se erguían de nuevo al pasar.

Iturrioz se paraba á mirarlo todo y comentaba con observaciones de marino lo que iba viendo.

Llegamos á Vauxhall, y como ya no se podía seguir por la orilla del río, nos metimos por una calle que pasaba entre gasómetros, fábricas de cemento y descargaderos.

En los almacenes de forraje, en los patios, se levantaban pilas grandes, como casas, de hierba prensada, que echaba un olor fuerte y desagradable; en las fábricas de yeso y de cemento los montones de sacos formaban calles y desfiladeros; en las fundiciones se veían enormes volantes rotos.

Todo era por allí negro, grande, sucio del polvo y del hollín; entraban y salían en los patios carros pesadísimos arrastrados por caballos de peludas patas, los cargadores sujetaban fardos y sacos á los extremos de las grúas, y desde los pisos altos de los almacenes, dos ó tres hombres como centinelas esperaban la carga y la recogían.

Iturrioz entraba en los patios á enterarse de cómo se hacían las maniobras.

Papá, algo impaciente, murmuraba de la curiosidad de su amigo, que seguramente le parecía ridícula y absurda.

Iturrioz insistía en la belleza moral de todos aquellos artefactos de trabajo y en el aire magnífico que tenían, y mi padre le contradecía con chistes.

Pasamos por delante de unos grandes depósitos de agua y salimos frente al parque de Battersea. Á la entrada había un puestecito portátil de refrescos titulado El Ramillete. Nos sentamos en un banco y descansamos un momento viendo jugar á unos niños.

Era ya tarde y nos dispusimos á volver. Un tranvía nos dejó en pocos minutos en el puente de Westminster, donde bajamos, y tomamos el muelle Victoria para ir á casa.

UN LANCHÓN PASA

Á la luz crepuscular se fué acercando por el río, ahora rojizo, este lanchón negro con una vela grande y blanca, y otra pequeña y amarillenta, seguido por un botecillo ligero. Durante algún tiempo, mi padre, Iturrioz y yo fuimos andando por el muelle paralelamente á esta barcaza. Cayeron sus velas al pasar un puente, volvieron á izarse de nuevo y siguió el lanchón navegando despacio.

El sol, como un círculo indeciso ahogado en la bruma, parecía disolverse en el cielo de ópalo, descendía entre nubes ambarinas, y después de brillar en los miradores del Parlamento, se acercaba á sus torres y á sus pináculos que se destacaban negros en el horizonte.

La marea iba bajando; marchaban por el agua sucia cestas, corchos, duelas de barrica. El río escupía su barro negro sobre las orillas. Algunas gabarras, cargadas de carbón, unidas por los costados, permanecían inmóviles en medio, y deslizándose junto á ellas, pasaba el lanchón lentamente.

En algunos diques flotantes formados por tablas, un hombre de sombrero hongo y pipa calafateaba un bote; unos cuantos chiquillos iban en una lancha remando, y una balandra minúscula, con las velas desplegadas, corría como una gaviota trazando rapidísimos círculos en la superficie del río.

En las gabarras, sobre la carga de paja ó de heno, algunos hombres sentados en cuclillas charlaban.

Sonaron las campanas del reloj del Parlamento, y en un puente lejano el lanchón se nos perdió de vista...

CAPÍTULO VII

UN DOMINGO CLARO

HACÍA un día espléndido; el cielo estaba por
excepción azul; la calle inundada de sol. De las
casas salían señoras elegantes y caballeros de
sombrero de copa y levita. El hotel se iba des-
poblando. Habían partido varios automóviles con
muchachas vestidas de blanco; el comedor estaba desierto á la hora del almuerzo. En la puerta
de la casa, Betsy, de gran sombrero, aguardaba
á montar una bicicleta que el criado alemán estaba arreglando.

— ¡ Qué ! ¿ Va usted de paseo? — le dije yo.

— Sí.

— ¡ Qué elegante ! ¡ Qué guapa !

La muchacha sonrió satisfecha y ruborizada.
Vi desde la acera cómo se alejaba con su bicicleta, y me volví á casa. Bajé con un libro al salón de lectura. El señor Roche, sentado en una
butaca, leía.

— ¿ Qué, no ha ido usted á Hyde Park, miss
Aracil? — me dijo.

— No.

— La ha abandonado á usted su padre. ¡ Ah,

pícaro! Yo le he visto salir á él con los Stappleton y con mi mujer.

— ¿Y usted no ha ido tampoco?

— Yo no. Me fastidia andar allá hecho un tonto.
Además, mi mujer tiene hoy que discutir con su
padre de usted, y un marido inglés que se estima,
no interrumpe la conversación de su mujer con
un amigo. Esto es poco distinguido; demostraría
una curiosidad chabacana ó celos, cosas ambas
poco aristocráticas.

— ¿Y usted no tiene nada de eso? — le dije yo.

— Creo que si someten un poco de solución
de mi cerebro al examen del espectroscopio, que,
como sabe usted, descubre las substancias en
milésimas y en diezmilésimas, no encontrarán la
raya de los celos.

— ¿Es usted filósofo?

— Si eso fuera una profesión, esa sería mi
profesión favorita. Pero á pesar de mi filosofía, si
usted, miss Aracil, quiere pasear por Hyde Park,
me pondré la levita y el sombrero de copa y la
acompañaré.

— ¿Es que es obligatoria la levita y el sombrero de copa?

— Sí; todo el mundo va igual á ese paseo, la
gente rica como la gente pobre. Así no se distingue un lord de un dependiente de una bisute-
ría, lo que se considera igualitario. En el fondo,
Londres es un pueblo provinciano. ¿Quiere usted
que vayamos á Hyde Park?

— Iremos á la tarde.

— Muy bien; entonces gocemos de este magnífico silencio — y Roche se hundió más en el

sillón de cuero y quedó inmóvil con la mirada en el techo y el libro en las rodillas.

Después de almorzar, Roche, mi padre y yo tomamos un cab y fuimos al museo de pinturas de la National Gallery. Á mí los cuadros que me encantaron fueron los de Botticelli y los de los primitivos italianos. También me gustaron mucho los retratos de Reynolds y Gainsbourough; á Roche y á papá sólo les parecia bien Veláz-quez, y estuvieron discutiendo acerca de un cua-dro que representaba una cacería en la Casa de Campo y de los tipos pintados por el maestro sevillano.

Mi padre dijo que sospechaba que en estas cuestiones de pintura los ingleses tuviesen un gusto fundamentalmente cursi.

— ¿Y usted no protesta? — le dije yo á Roche.

— ¿Por qué? — repuso él. — ¡ Si es verdad ! El inglés, en general, no tiene el sentido del co-lor. Le gusta lo correcto, los figurines. Si aquí, en esta galería, pusieran una bonita lámina de un periódico de modas, un poco disfrazada, toda la gente quedaría en éxtasis; pero estos santos ne-gros, tan mal peinados, y tan mal vestidos, les parecen un poco grotescos, aunque no se atre-ven á decírselo á sí mismos.

Salimos del museo á Trafalgar Square y fuimos por Pall Mall. Roche quería mostrarnos los clubs de esta calle con su arquitectura imitada de los palacios del Renacimiento italiano. Pasamos por Waterloo Place y Saint-James Street. Á través de las grandes ventanas se veían algunos seño-res sentados en sillones leyendo periódicos.

— Nadie sabe — dijo Roche en un momento de entusiasmo — el ambiente de respetabilidad, de instinto conservador y de fastidio que hay ahí dentro.

— Y á la cursilería española enamorada de Inglaterra — dijo mi padre de mal humor — eso le parecería una maravilla.

Luego salimos á Whitehall, vimos el cañón regalado al Gobierno inglés por los españoles en tiempo de la guerra de la Independencia, atravesamos Saint-James Park y tomamos por Green Park. Alrededor de un kiosco en donde tocaba la música, una multitud tranquila, sentados unos en las sillas, otros sobre la hierba, escuchaba el concierto. Toda esta gente tenía, como dijo mi padre, un aspecto vacuno, cierto aire de fatiga, de abatimiento, más de rumiante que de carnívoro.

— Algo así será el socialismo — indicó mi padre. — Un rebaño de hombres tranquilos y contentos.

— ¿Y te parece mal?

— ¡Pse! Yo prefiero ser de un país en donde casi todo está por hacer y hay viveza y rabia, que no de aquí en donde la gente se sienta en un banco con la boca abierta y espera á que pase el día.

HYDE PARK

Salimos de Green Park y cruzando Piccadilly entramos en Hyde Park. Pasamos por delante del Aquiles desnudo, que á mi padre le pa-

reció un poco ridículo y á mí también. La gente
elegante paseaba por una avenida con gran solemnidad; los hombres con sombrero de copa y
levita, las mujeres muy vistosas.

— ¿Esta es gente *chic?* — le pregunté yo á
Roche.

— Sí. Es público distinguido, un poco más
mezclado que el de la mañana.

— No son muy guapas ellas.

— No, no. En general, las mujeres que se ven
por las calles son mucho más bonitas que las se-
ñoronas que pasean por aquí.

— ¿Y de costumbres? — preguntó mi padre. —
¿Esta aristocracia es realmente morigerada?

— No. Es acérrima partidaria del camino tortuoso. Todo está bien si parece bien.

— Hipocresía — dijo mi padre.

— Es un vicio muy inglés. ¿Y á usted no le
gustan las inglesas? — me preguntó Roche.

— Sí. ¡Ya lo creo! Algunas parecen ángeles;
pero la forma de la boca, en general, no es bonita. Muchas tienen los labios rígidos. Debe ser
de hablar inglés.

— Es probable — repuso riendo Roche.

— Y no hay militares de uniforme en este paseo — dijo mi padre.

— No; á los ingleses no nos gustan los uni-
formes. No tenemos, como los franceses, ese entusiasmo por la librea distinguida, ni tampoco por
las condecoraciones. En Londres, cuando se va á
un sitio público donde hay militares de uniforme,
todo el mundo dice : — Este no es un sitio respetable. Hay soldados.

— Es una cosa extraordinaria — saltó diciendo mi padre como quien hace un descubrimiento —; aquí los hombres elegantes se miran y estudian sus respectivas *toilettes* como las señoras.

— Sí — dijo sonriendo Roche ; — aquí en Londres hay una gran estimación por la belleza masculina; así los jóvenes *gentlemen* resultan un poco pavos reales, pero en España también se miran como gallos.

— ¡ Ya lo creo ! — dije yo.

— Sí, es verdad — afirmó mi padre; — pero el odio con que se miran los hombres allí, oculta un poco la curiosidad, la envidia y los demás sentimientos femeninos...

— ¿Femeninos sólo? — dije yo.

— Los llamamos femeninos — replicó Roche — aunque sean tan frecuentes entre los hombres como en las mujeres. Cuando triunfe el feminismo, ustedes llamarán á las malas pasiones que denigran sentimientos masculinos, y se habrán vengado.

Yo me eché á reir.

Siguieron mi padre y Roche discutiendo y comparando los ingleses con los españoles.

— Á mí — terminó diciendo mi padre — en Inglaterra me molestan las ideas y en España los hombres.

— Sí; en España — dijo Roche — es difícil notar ideas sociales, generales. Yo creo que no las hay.

— Ó quizás no hay preocupaciones — contestó mi padre.

— Es igual — repuso el escocés. — La sociedad es una ficción sostenida por una serie de ficciones. Allí no existe la ficción social; la ley es una cosa que está fuera de las conciencias. Está bien; si detrás de ese nihilismo queda el hombre, España siempre será algo; ahora, si no hay nada...

— Yo creo que hay.

— ¡Pse! Es posible. Aquél es un país anárquico por naturalezaz — dijo Roche, — pero de un anarquismo débil. Allí todo está en lucha constante; los pájaros riñen en el campo, los gatos se arañan, los chicos se pegan, pero todos se cansan pronto. Mire usted aquí estos gorriones, qué respetables son; no me chocaría nada que tuvieran su club y sus horas fijas para acostarse. Son gorriones civilizados.

— Y sin embargo, ustedes y sus gorriones han llegado más tarde á la civilización que nosotros — dijo mi padre.

— Sí, pero con unas condiciones de suelo y de clima ideales. La civilización primaria, imaginativa y contemplativa, tenía que desenvolverse en climas calientes y húmedos, en donde abundaran cereales y substancias con almidón y azúcar. La civilización industrial, científica, necesariamente tiene que tener su expansión en climas como el de Inglaterra. Aquí la naturaleza es en parte enemiga, pero se deja vencer; exige que se luche con ella, pero se entrega pronto, y el hombre, viendo la eficacia de su esfuerzo, se hace en seguida hombre de acción. La tierra le da el sentimiento de su energía y el sentimiento de su triunfo.

— Y sin embargo, las diferencias que hay en-

tre España é Inglaterra, en el fondo, no deben ser
muy grandes — dije yo.

— La diferencia mayor es el clima y la riqueza — replicó Roche. — Las ideas no tienen importancia alguna. Las ideas son el uniforme vistoso
que se les pone á los sentimientos y á los instintos.
Una costumbre indica mucho más el carácter de
un pueblo que una idea.

— Y con relación á las costumbres, ¡cuántas
cosas que no son verdad se dicen! — exclamé
yo. — Allí llamamos trajes ingleses á estos trajes
claros de cuadros, y aquí no se ve ninguno; lo
mismo pasa con los zapatos de tacón bajo, aquí
no se ve una mujer que los lleve.

— Ninguna — dijo Roche. — Mire usted: aquella señora lleva un palmo de tacón en medio del
pie.

— ¡Qué barbaridad!

— De esa manera tienen que ir con el cuerpo
inclinado hacia adelante, y con esa alteración del
centro de gravedad parece que las vísceras de estas
damas se estropean.

— No sea usted *schoking* — le dije yo riendo.

— Probablemente será de mal gusto suponer
que esas damas tienen vísceras, aunque quizás
la moda haya cambiado hace unas semanas y sea
el colmo del buen tono decir : riñón, vejiga y bazo.
Sí; la vida está hecha de mentira de romanticismo
y de farsa, el hombre es un macaco aquí como allá;
aquí es un gorila rubio, allá tira á moreno, en el
fondo es la misma cosa : son los mismos orangu-
tanes con diferentes collares; pero la gente quiere
encontrar diferencias que en general no existen, y

se dice : El francés es así, el inglés y el español
de esta otra manera, y la diferencia esencial debe
ser muy pequeña. Á mí me decían en España :
¿Es verdad que los ingleses no pueden ustedes
decir pantalón ni camisa? ¿Es verdad que después
de comer todos los ingleses se emborrachan? Y en
cambio aquí les preguntarán á ustedes si han matado algún toro, ó si los bandidos españoles son
los grandes de España.

— Á mí no me choca nada — dije yo — el que
se fantasee sobre las cosas que no se ven, sobre
las ideas ó sobre el carácter de la gente; ¿pero cómo
se fantasea sobre las cosas que se ven?

— Es que las cosas se presentan de distinta
manera. ¿No se ha fijado usted en los tipos ra-
ros de ingleses que se ven por España? — preguntó Roche.

— Sí, es verdad — dije yo. — Es raro que los
ingleses, tan correctos y tan sin carácter aquí,
sean tan estrambóticos en el extranjero. ¿En qué
consiste la diferencia?

— Algunos majaderos de aquí y los franceses,
dicen que los ingleses hacen esto deliberada-
mente para demostrar que las costumbres de los
demás países no les merecen respeto. Si tal cosa
fuera verdad, demostrarían los ingleses que constituían la flor de la majadería universal. Yo no
creo en esto. Supongo que mucha de la gente
que sale á viajar es gente de pueblos alejados
que se visten para el viaje como á ellos les parece mejor.

Nos sentamos un momento en sillas sobre la

hierba y luego tomamos, cruzando Hyde Park, hacia el Arco de Mármol.

En el suelo se veían vagabundos tendidos en la hierba con la gorra sobre los ojos; otros, de bruces, despatarrados, parecían muertos. El contraste entre la riqueza de aquellas señoras y caballeros y la miseria de estos abandonados, era poco agradable.

— Miren ustedes esas señoras, ¡qué indiferentes pasan entre los mendigos! — exclamó mi padre.

— Sí, estas grullas de Londres no son muy sentimentales — dijo riendo Roche.

— Pues debe ser fastidioso pasear llena de joyas en medio de esos desarrapados — añadí yo.

— Ya ven ustedes — repuso mi padre; — á pesar de que ustedes dicen que todos los países son iguales, en España no se dejaría á estos vagabundos tirados en el parque.

— ¿Pues qué harían con ellos? — preguntó Roche.

— Probablemente, meterlos en la cárcel.

— Nosotros somos más humanos; los dejamos morirse de hambre. Hay que tener en cuenta una cosa : que en otros lados la pobreza es una desgracia; aquí es una vergüenza. El inglés quiere creer que su sociedad está tan bien organizada, que el que no sube y se enriquece es porque no vale. Es una idea ridícula, pero así lo creen ellos.

Marchamos los tres hacia el Arco de Mármol y nos detuvimos delante de la puerta, en el sitio en donde se reunen á perorar los oradores budistas, místicos, materialistas y socialistas. Había, como día de fiesta, una porción de tribunas. En unas se veían estandartes con la inscripción : « Volved al Cristo. » En los púlpitos de los oradores socialistas y anarquistas se leían letreros con frases dirigidas al proletariado.

Nos acercamos á los distintos grupos.

— Aquí, por el tipo del orador y por las caras de la gente del público, se comprende de qué se trata — dijo Roche. — Si el orador es pálido, flaco y triste, y la gente le escucha con gravedad, es un orador religioso; si el orador es vehemente y el público habla y comenta, es algún socialista ó anarquista; si es un hombre grueso y malicioso y el público ríe, es algún materialista. ¿Ve usted aquél, miss Aracil? Pues es seguramente un materialista.

Nos acercamos, y efectivamente lo era.

— ¿Qué dice? — me preguntó papá, que no entendía.

— Pues ahora está diciendo : Me he levantado esta mañana; he cogido ese libro viejo y estúpido que se llama la Biblia; he abierto á la casualidad, y he leído un salmo en donde dice que Dios ha extendido el cielo sobre la tierra como una piel. ¿Hay nada más estúpido ni más imbécil que esto?

Traduje algunas frases más del orador; se rió mi padre; nos reímos todos, y luego, por Oxford Street, fuimos hacia casa.

EXPLICACIONES DE MADAME ROCHE

El señor Stappleton tenía que volver á Egipto y madame Stappleton se fué con él, con gran satisfacción mía. Al parecer, mi padre y ella no tenían ya buenas amistades y se despidieron con absoluta indiferencia.

En cambio, todas las coqueterías de la francesa fueron dirigidas á Roche.

Presencié la despedida de ambos.

— ¿Pensará usted en mí? — preguntaba con lánguida coquetería madame Stappleton.

— Siempre.

— ¿Llorará usted?

Roche se tocó el ángulo lagrimal del ojo derecho con el dedo índice y sacudió la mano en el aire como para desprenderse de algo pegajoso; luego hizo lo mismo en el ojo izquierdo.

— Es usted un payaso — dijo madame Stappleton.

— Es verdad.

— Es usted un hombre sin corazón.

— Es que lo dejo muchas veces en casa olvidado con el paraguas.

Madame Roche, cuando se encontró sin su amiga la francesa, se dedicó á reunirse conmigo y á hablarme y á proponerme jugar al *bridge,* cosa que yo no aceptaba, porque los juegos de cartas, no sé por qué, me repugnan.

Madame Roche tenía en su manera de ser algo de gata; necesitaba que todo el mundo se ocu-

para de ella y arañar de cuando en cuando. Yo
no le era nada simpática, ni ella á mí tampoco ;
pero transigíamos.

Madame Roche tenía una hermana casada con
un militar muy rico, el señor Monk, y algunos días
su hermana le enviaba un coche ó un automóvil
para que paseara.

Un día madame Roche me invitó á pasear con
ella en coche. Fuimos por Piccadilly y Bond
Street. En estas calles no se ven gentes atarea-
das, sino mujeres bien vestidas, caballeros de sombrero de copa, escaparates lujosos y casas adornadas con flores.

Madame Roche quería comprar un collar para
su perrito, y con este objeto entramos en un pa-
saje cubierto, lleno de tiendas, llamado Burling-
ton Arcade. Dimos con el establecimiento en donde
sólo se vendían objetos para perros, cintas, zapatos, mantas, y hasta anteojos para automovilistas
caninos. Á mí esto me pareció un poco cómico;
pero para madame Roche, todo lo que tuviese relación con la moda, era cosa sagrada.

Después que eligió el collar, fuimos á Hyde
Park. El parque presentaba un aspecto soberbio.
Las señoras con trajes claros, en los coches nuevos
de arneses relucientes, los caballos que piafaban,
los jinetes y amazonas elegantísimos, todo tenía
un gran aire de elegancia y riqueza.

Madame Roche, á pesar de hallarse acostumbrada á tales grandezas, contemplaba estas gentes *chic* con verdadera ansia; á mí, la verdad, no
me produjeron envidia. Quizás por mi situación,
las veía en una esfera muy lejana. Nos cruzamos

varias veces con un señor elegante ya viejo que
iba á caballo. El señor miraba á madame Roche
muy expresivamente. Madame Roche indicó
quiénes eran algunas de las señoras que se cruzaron con nosotras, pero no me dijo el nombre
del viejo conquistador, ni yo se lo pregunté tampoco. Luego fué cantando en diversos tonos las
glorias de Londres, el pueblo más adelantado, el
más elegante, el más distinguido.

— Londres tiene actualemente en el mundo —
dijo — el papel que tuvo París durante el segundo Imperio. Aquí hay más fiestas, más teatros,
más dinero, más elegancia que en parte alguna.
Londres es el sitio favorito de los reyes y de los
príncipes, y además es donde se guarda más con-
descendencia para todo con tal de que no haya
escándalo. Nuestra moral es la belleza; todo lo
que es bello es bueno.

Sin saber por qué, estos elogios de madame
Roche me repugnaban. Yo contestaba á sus diti-
rambos confirmando cuanto decía, y, sin embargo, una adoración así por la riqueza, por el título
y por la gloria me ofendían como una cosa gro-
sera.

Me acordaba de Iturrioz, que muchas veces,
en su furor de estoico, decía :

— Yo quisiera desear y obtenerlo todo, para
después desdeñarlo todo. Sería, añadía él, una
manera de consolar á los que no tienen nada.

EL ABURRIMIENTO Y LA HOSPITALIDAD

Cuando madame Roche se cansó de ponerme
á Londres en los cuernos de la luna, vinieron las
quejas.

— Aquí no molesta nada — afirmó ella, — todo
es como debe ser; no mejor, ¡ claro !, y esta impo-
sibilidad de entusiasmo y de protesta produce
una gran laxitud, una completa fatiga de vivir.

— ¿Á pesar de lo bien organizada que está la
vida? — le dije yo.

— Sí, por eso mismo. Ya ve usted lo que ocurre en la clase media. El hombre va al trabajo y
se pasa en el escritorio ó en la oficina desde la
mañana hasta el anochecer. La mujer vive sola
en casa y se aburre; durante nueve meses del
año apenas puede salir por el mal tiempo. Llega
la buena estación y la mujer quiere pasear y lucir
unos cuantos trajes; el marido generalmente no
puede acompañarla, y la mujer busca un hombre
elegante que la lleve á Hyde Park y á tomar el
té, porque si va sola está casi en ridículo y de-
muestra que no hay nadie que se ocupe de ella.

Verdaderamente, vivir esta vida superior de que
hablaba madame Roche para no tener más ideal
que lucir unos cuantos trajes al año me parecía
una cosa de una mezquindad muy grande.

— Luego — siguió diciendo madame Roche —
la vida está tan bien arreglada, tan bien calculada,
que las cosas se hacen maquinalmente y se acaba por encontrar á todo un fondo de tristeza y

de caos. Entonces el que tiene casa invita á los
amigos para distraerse.

— ¿De manera que la hospitalidad de Inglaterra procede en gran parte del aburrimiento?

— Yo creo que en todo. La gente se aburre
mucho. Cuanto más avanzado es un pueblo, la
gente se aburre más; por eso también los tipos
de excepción extraños y pintorescos que distrai-
gan son muy buscados.

— ¿Y hay muchos tipos de éstos?

— No. Al revés. Los hombres en Inglaterra
son más aburridos que la lluvia, y el original es
muy solicitado. Todos se lo disputan, lo llevan
en andas, de invitación en invitación y de convite en convite. Aquí el hombre de ingenio y la
mujer inteligente y discreta llegan donde quieren... Yo...

Madame Roche iba á comenzar sus confidencias, pero en vez de abordarlas de lleno, se dedicó á hablar de sus amigas de colegio y de la di-
versa suerte que habían tenido. De pronto, inte-
rrumpiéndose, dijo :

— Mire usted qué mujer más elegante.

— Sí, es verdad.

— Es una judía alemana. Su marido es un periodista y ella tiene un *flirt* con un banquero.

— ¿Y el marido no protesta?

— ¿Por qué? Tiene una mujer *chic,* que le
lleva la sociedad elegante á casa. El ganará mil
libras y en su casa se gastarán diez mil todos los
años. Puede estar contento.

No dije nada, aunque esto me pareció repulsivo. Madame Roche me parecía ya como una gran

serpiente. La frase esta sobre la mujer del periodista y las miradas al viejo me dieron la impresión de que había en ella algo de reptil. Yo había
creído que en todos los desplantes de madame
Roche entraba el despecho más que otra cosa;
pero no, se iba transparentando en ella un fondo
turbio y malsano. Madame Roche, como si com-
prendiera mis pensamientos y quisiera discul-
parse, acusó á su marido de ser para ella un es-
torbo.

— No se puede vivir con un hombre que no
es nada, que no piensa nada, ni aspira á nada
— dijo. — Mi marido es como el Tony de los
circos : arregla la alfombra, tropieza, cae, le dan
un puntapié, y... ríe. No, no puede ser.

— ¿ Y usted sola no podría intentar alguna
cosa?

— Sí, podría intentar algo en sociedad, pero mi
hermana me odia porque tiene celos de mí, y no
quiere presentarme en su círculo de amistades...
Algunas veces he intentado escribir, meterme en
ese club de señoras, en el Lyceum Club.

— ¿Y por qué no lo hace usted?

— ¡ Con este marido ! ¡ Viviendo en una casa de
huéspedes ! ¡ Imposible ! ¡ Es imposible ! Cuando
supieran mi nombre me aceptarían con gusto, pero
cuando les dijera que vivía en un pequeño hotel,
en una casa de huéspedes, con mi marido, me
despreciarían. No tengo más camino que el que
tienen las mujeres cuando están desesperadas.
Si encuentro algún hombre rico saldré adelante;
si no, Dios sabe dónde iré á parar.

Habíamos dado vuelta á la Serpentina y volvíamos por Oxford Street hacia casa. La calle estaba llena de ómnibus y de coches; los escaparates iluminados, fulguraban reflejando la luz en las saderías y en las plumas de los sombreros puestos de muestra. El coche marchaba deslizándose suavemente sobre sus neumáticos.

Al llegar cerca de casa, madame Roche murmuró :

— ¡Vivir en este rincón ! ¡Qué horror ! ¿Se ha fijado usted qué gente hay aquí? ¡Qué conversaciones más vulgares ! Sólo mi marido puede hablar con esas gentes. Vale más hundirse cuanto antes.

CAPÍTULO VIII

EXPLICACIONES DEL SEÑOR ROCHE

La desarmonía del matrimonio Roche se manifestaba en los más pequeños detalles. Una noche míster Roche quiso ser galante con su mujer, y sin ir á jugar su partida de billar, la dijo :

— ¿Quiere usted salir á pasear? Hace una noche espléndida.

— ¿Es que no hay nadie con quien jugar ahí abajo? — preguntó ella con todo el desdén que ponía al hablar á su marido.

— Sí, pero si usted quiere salir.

— No, no quiero salir.

— Bueno. Está bien.

— ¿Es que se va usted á estar embruteciendo jugando al billar, al dominó ó á las cartas, y cuando no encuentra usted con quien jugar, venir á decirme si quiero salir? No, no, jamás. Yo no sirvo de comodín. Ya que usted prefiere andar pegando á las bolas que hablar con la gente, siga usted. No seré yo quien se lo impida.

El señor Roche, rechazado así delante de todo el mundo, hizo un gesto de desprecio y de enojo;

pero dominándolo y tomando una expresión cómica, y dirigiéndose á mí, dijo :

— ¿Y usted no quiere salir, señorita?

Madame Roche me miró como ordenándome que no saliera, y por lo mismo me levanté, y dije :

— Sí, saldré; con mucho gusto.

Me puse el sombrero y salimos de casa. Hacía una noche soberbia; el cielo estaba limpio y estrellado.

— ¿Adónde quiere usted que vayamos? — me preguntó Roche.

— Por la orilla del río.

EL TÁMESIS DE NOCHE

Una niebla azul, de esas nieblas suaves, poéticas, en las que brillan más claras las luces y dan á todo una apariencia vaga y misteriosa, envolvía la ciudad. Era un espectáculo extraordinario ver el muelle del Támesis con su fila de focos eléctricos formando una curva luminosa reflejada en el río. Las ventanas del Hotel Cecil y del Hotel Metropole vertían torrentes de luz por sus balcones y sus miradores. En los muelles la gente esperaba la llegada de los tranvías eléctricos; algunos vagabundos dormían en los bancos. Allá lejos clareaba como una luna azulada la esfera del reloj del Parlamento, y encima, en la torre, resplandecía un faro blanco.

El río, fuera de la zona alumbrada por los faroles, aparecía como una masa azul indeterminada; un vaporcito con dos luces blancas y una roja corría por la superficie del agua, y en el humo espirado por su chimenea quedaban brillando constelaciones de chispas.

Algunos letreros de luces resplandecían en los tejados de la orilla derecha.

En medio del río, grupos de gabarras negras permanecían inmóviles.

Por el puente de Charing Cross pasaban trenes larguísimos; durante un momento ocupaban toda la anchura del puente, y la luz de sus ventanas iluminadas parecía una inmensa luciérnaga. El rumor del tren resonaba sordamente y quedaba el humo rojizo flotando en el aire.

En la orilla del trabajo, entre la bruma vaga, se veían altas chimeneas, negros edificios; los grandes brazos de las grúas se adivinaban por entre grupos de construcciones bajas y obscuras, alumbradas con algún farol mortecino; un foco eléctrico brillaba en un cobertizo y un faro verde dejaba un reflejo en las aguas temblorosas del río. Algunos lanchones llevados por la marea se deslizaban por el río entre la sombra como grandes peces, y los tranvías pasaban por el puente de Westminster llenos de luz...

SEGUIMOS PASEANDO

Tomamos por Birdcage Walk una calle que pasa cerca de un parque. Se veía á un lado una casa de once pisos iluminada de arriba á abajo, que parecía un castillo.

— ¿Quiere usted que entremos en este parque? — me dijo Roche.

— Bueno.

Entramos; pasamos por un puente rústico por encima de las aguas muertas de un lago. La luna se había levantado en el cielo é iluminaba estas aguas, los árboles y las espadañas de las orillas con una luz espectral y romántica.

— ¿Qué le parece á usted mi mujer? — dijo Roche de pronto. — ¿Usted concibe que se pueda vivir así?

Yo insinué que quizás sus diferencias fueran pasajeras; pero Roche aseguró rotundamente que no, y comenzó á hablar de su mujer con amargura, pintándola como desprovista de todo sentido de justicia y de bondad.

— Yo no creo que sea mala — dije yo.

— ¡Oh! Usted no la conoce. Mi mujer es todo vanidad, soberbia y egoísmo monstruoso. Gozar, mandar, triunfar, humillar á las demás mujeres... ¿Medios? Todos son buenos.

— El camino tortuoso — dije yo.

— Sí, el camino tortuoso — añadió Roche; — y esto no es lo peor de su carácter.

— ¡Qué lástima! — exclamé yo.

— Crea usted — repuso él; — cuando en una mujer se une el afán de los placeres con el afán de figurar, de prosperar socialmente, se convierte en una cosa estúpida y bestial, en una mezcla de fregona, de cortesana, de cómica y de agente de negocios que es sencillamente repulsiva. Todas esas mundanas de París, de Londres y de Nueva York valen menos sentimentalmente y hasta intelectualmente que la mujer de un bosquimano ó aun que la hembra de un orangután. Sólo á algunos escritores idiotas se les ocurre alabar como

un producto refinado, civilizado y complejo á
estas mujeres ansiosas. Es ridículo. Creen que
estas damas son espirituales porque llevan trajes
lujosos y magníficos sombreros, y en el fondo
¿sabe usted lo que son?

— ¿Qué?

— Pues un producto similar á esos viajantes
de comercio intrigantes y crapulosos de quienes
todo el mundo se ríe. Mi mujer tiene la misma
mentalidad que un barítono italiano ó que un co-
misionista ambicioso de Marsella.

Yo creo que en el fondo Roche tenía razón,
pero no me pareció oportuno decírselo.

Salimos al Palacio Real. Estaban relevando la
guardia; vimos el ir y venir de los soldados con
sus gorras de pelo y sus levitas encarnadas.

— ¿No está usted cansada? — me dijo Roche.

— No.

Siguió él hablando de la sociedad y de su
familia, siempre amargamente y con un fondo
de desprecio, sobre todo cuando se refería á su
mujer; tomamos por una avenida hasta salir á la
puerta de Hyde Park que da á Piccadilly, y nos
encaminamos hacia el Arco de Mármol. Todavía
quedaban aquí algunos oradores en sus tribunas
perorando, y grupos de hombres y de mujeres
cantando salmos. El parque parecía un campo
alejado de una ciudad; en el fondo rosáceo de la
atmósfera, turbada por la niebla, brillaba alguna
luz; la luna aparecía entre el follaje y hormi-
gueaban hombres y mujeres por las avenidas.

Al salir á Oxford Street, subimos á un ómnibus que nos dejó en unos minutos cerca de casa.

CAPITULO IX

LA SOLUCIÓN DE MI PADRE

Todos los días le indicaba á mi padre que se iba acabando nuestro dinero, y para que no creyera que era exageración, le enseñé lo que quedaba; en total tres libras y media.

— Déjame, yo lo arreglaré — dijo mi padre.

— Es que te advierto que, pagada esta semana, yo no nos queda ni un cuarto.

— No importa; no te preocupes.

— Es que nos van á echar de casa. Hay que buscar algo.

— Ya voy buscando, no creas.

— Si te pasas la vida hablando con la señora Rinaldi...

— Es que hay aquí un ambiente de aburrimiento terrible. Con sus ideas religiosas y conservadoras le van á convertir á uno en un idiota. ¡Qué país! Yo creo que vale más vivir en un rincón de Marruecos que no estar metido dentro de este charco, en donde se masca al aburrimiento más desesperante.

— ¡Pero, papá, ahora no es cuestión de quejarse! Tú quisiste venir...

— Sí, ya lo sé. Yo creí que esto era otra cosa; pero es un pueblo estólido y antipático. Aquí, la idea de categoría lo rige todo : categorías de hombres, de mujeres, de vinos, de frutas, de juegos, de *sport*. ¡Un pueblo que tiene un ideal de disciplina y de orden! ¡Qué cosa más repugnante!

— Sí; pero todo eso no impide que tengamos que vivir aquí, porque no tenemos dinero para marcharnos.

— Ya veremos, ya veremos. Déjame á mí maniobrar libremente durante algún tiempo.

Yo no sabía qué pensar de los proyectos de mi padre. Alguna cosa tramaba, ¿pero qué?

Llegó el día de pagar el hotel y mi padre se encargó de la cuenta.

Las dos facturas que en sus respectivos sobres solían aparecer todos los sábados en el cuadro del portal en donde se colocaban las cartas, una á nombre de papá y otra al mío, desaparecieron como si se hubieran pagado.

Á la semana siguiente sucedió lo mismo. Yo me hallaba un tanto preocupada con la actitud de mi padre; tenía dinero y no le importaba el gastarlo. ¿Quién se lo prestaba ó quién se lo daba?

Pronto sospeché que el dinero procedía de la señora Rinaldi. Un día al entrar en el salón estaban solos mi padre y la americana.

— Si tuviera usted un alfiler... — decía mi padre.

— No, no tengo — contestó ella.

— Es raro — replicó mi padre bromeando.

— ¿Por qué?

— Porque casi todas las mujeres suelen llevar alfileres en el talle, y cuando se las quiere abrazar, uno se pincha.

— Pues yo le aseguro á usted, Enrique — dijo ella en tono meloso, — que yo no llevo alfileres en el talle.

Yo me quedé un poco sorprendida al oir á la americana que llamaba á mi padre familiarmente por el nombre.

— ¿Qué se propondrá esta mujer? — pensé.

Me enteré por Betsy de la vida de la señora Rinaldi. Era ésta una criolla, abandonada y perezosa, amiga de adornarse y de estar junto al fuego muy emperejilada leyendo novelas. Tenía un niño de doce años y una niña de diez, á los que cuidaba una mulata. Los dos chiquillos eran á cuál más impertinente y desagradable; acostumbrados á hacer su capricho, molestaban con sus gritos y constituían un motivo de fastidio para todas las personas del hotel. Á mí muchas veces me daban ganas de andar con ellos á coscorrones, porque no tenían travesura, sino mala intención. Su madre, para librarse de ellos, los enviaba con la mulata á un jardín próximo.

Betsy me contó otros detalles de la americana que concluyeron de hacérmela antipática.

Como mi padre no decía nada definitivo acerca de lo que íbamos á hacer, le acosé á preguntas. Mi padre no salía de sus vaguedades.

— Todo se arreglará; no tengas cuidado, — contestaba.

— ¿Pero cómo?

— No te preocupes.

— ¡No me he de preocupar! Yo no soy ninguna niña y tengo derecho á saber lo que vamos
á hacer.

— Si te empeñas te diré mi plan.

— Sí me empeño.

— Pues la solución es ésta. Yo me caso con
la señora Rinaldi y nos vamos á América.

— ¿Tú te casas con la señora Rinaldi?

— Sí. Su cuñado me ha escrito que allá en la Argentina tendré un buen éxito y que podré ejercer.

— ¿Y yo?

— Tú vienes conmigo.

— ¿Y con esa mujer y con sus hijos? ¡Nunca!

— ¿Y por qué no?

— Porque no. Porque es imposible.

— Vamos, no seas niña.

— No, no; te digo que no.

— Recurriré á mi autoridad y hasta á la ley si
es preciso.

— ¿Á mí qué me importa la ley ni la autoridad
tampoco? Por encima de todo eso está mi independencia y mi cariño por tí también.

— ¿Pero por qué esa terquedad? ¿Por qué no
has de venir?

— ¿Pero es que no comprendes que viviendo
bajo las órdenes de esa mujer sería una esclava,
ó es que no te importa mi vida con tal que la
tuya se desarrolle á tu gusto?

— ¿Y tú no comprendes que si me quedo aquí
sacrifico mi porvenir para siempre?

— ¿Es que yo me he preguntado si sacrifica-
ba el mío cuando te he seguido y he salido de
Madrid?

— No. Ya lo sé, ya lo sé. Eres generosa, más generosa que yo. Pero hay que mirar la realidad. ¿Qué voy á hacer aquí? Aquí no puedo ejercer, no puedo trabajar, no puedo ser nada. No tengo ningún camino.

— ¿Y has escogido ése?

— Allí pienso seguir mi carrera, estudiar, ser algo. ¿No comprendes?

— Sí comprendo.

— En este caso, créelo, María, el más juicioso soy yo.

— Pues también es lástima que ya que pensabas ser tan juicioso en Londres, no hubieras empezado siéndolo en Madrid.

— Las reconvenciones ahora son inútiles. Hay que resignarse.

— Ya lo sé. Si lo que me apena no es lo que ha pasado, sino que no pensaste para nada en mí. Yo, antes que en otra cosa, hubiera pensado en tí, y tú me has olvidado, no se te ha ocurrido que con una madrasta y con sus hijos yo sería desgraciada. Has visto que te conviene, y nada más.

— Pero ten en cuenta la realidad. ¿Qué vamos á hacer aquí? ¿Cómo vamos á vivir?

— Trabajaremos.

— ¿En un rincón? ¿En una de esas calles llenas de barro? No, María, no. Esa sería la muerte y yo quiero vivir.

— ¿Tú sólo? — pregunté yo amargamente.

— Yo, y tú conmigo. Pero nosotros no podemos vivir así. ¿Qué voy á hacer yo en Londres? ¿Quieres decírmelo? No sé inglés; para aprenderlo necesitaría un par de años. ¿Y mientras tanto, de qué vivimos?

— Trabajaré yo.

— No; prefiero América.

— Bueno; vamos á América. ¿Pero para qué casarte con esa mujer, á quien no conoces, á quien no quieres?

— Eso es decir demasiado, María.

— ¿La quieres, entonces?

— ¡Pse! ¿Por qué no? Me sirve para levantarme. Es un camino que me puede llevar á la fortuna.

— Sí, el camino tortuoso.

— Yo en América puedo fácilmente llegar á ser algo con la protección de la familia de la que ha de ser mi mujer.

— ¿Y aceptarás esa protección?

— ¿Por qué no?

— Pues yo prefiero vivir aquí independiente y trabajar, que no deber la vida á la caridad de esa mujer.

— Eres una romántica, María.

— No.

— Sí, eres una romántica. No quieres ver la vida tal como es. Pero ya te convencerás.

— No, no me convenceré. Me encuentro dispuesta á no ir.

Mi padre hizo un gesto de contrariedad.

— Bueno — dijo; —si no quieres venir á América conmigo, haré que te acompañen á Madrid.

— ¿Para que me prendan?

— ¡Qué te van á prender! ¿Por qué? Además,

mientras Venancio arregla eso, te llevaré á un pensionado.

Al día siguiente volvió á suscitarse la misma cuestión, y comprendí que mi padre estaba dispuesto á marcharse. Yo le manifesté claramente que estaba dispuesta también á no seguirle.

CAPÍTULO X

EL CAMINO TORTUOSO

Nuestra separación era ya un hecho. Mi padre, con un egoísmo cándido, había supuesto sin duda que yo tomaría con gusto el papel de desasnar á los hijos de la señora Rinaldi, con lo cual él quedaba en seguida desembarazado y libre de una paternidad un tanto molesta.

Al ver que yo no aceptaba el cargo de institutriz que gratuitamente me asignaba, se incomodó; luego, sin duda más en frío, comprendió que yo tenía razón, y después, reaccionando su egoísmo, me dió á entender claramente que su interés estaba por encima de las antipatías inmotivadas de una chicuela.

Yo lloré abundantemente al comprender que mi padre se preparaba á abandonarme, pero me juré á mí misma no ceder.

— Yo no le he abandonado cuando se ha visto en un apuro, — pensé — y él no debía abandonarme á mí.

Seguirle se me figuraba ofensivo para mi dignidad. Lo más mortificante y desconsolador, lo que más me hería era ver que no hubiese pensado para nada en mí. Me había considerado como un factor sin importancia, como un personaje secundario para quien todo está bien. ¡Hermosa vida me tenía preparada, utilizándome como institutriz, poniéndome al servicio de unos chiquillos antipáticos y molestos!

Y aun después de verme ya decidida á quedarme en Londres, mi padre no pensaba en mi aislamiento, metida en un colegio, sola, sin amigos, en una ciudad inmensa; no pensaba más que en la vida y en el porvenir que se le abría en América, en la manera de conquistar clientela, en las conferencias que allí podría dar y en los aplausos que iba á alcanzar llevando, como llevaba, el atractivo romántico de ser casi un héroe en Europa. Le habían escrito desde allá para vencer sus vacilaciones; contaba ya con amigos y partidarios; su presencia sería un verdadero éxito.

Yo llamé en mi auxilio á Iturrioz, le conté el caso y le expuse nuestra desavenencia.

El me oyó sin asombrarse gran cosa.

— ¿Qué le parece á usted mi padre, eh? — le dije.

— Tu padre — dijo Iturrioz — es un poco parecido á esas mujeres de las novelas folletinescas, que son bellas, espirituales, pero que tienen la desgracia ó la fortuna, el autor no suele asegurar si es una cosa ú otra, de que les falta el corazón.

— ¡Oh! No tanto — repliqué yo.

— No; no tanta—repuso Iturrioz jovialmente.— Además, hoy cualquier dependiente de comercio sabe que el corazón no tiene nada que ver

con el sentimiento. Es una manera de hablar.
Quiero decir, que ese misterioso relojero que con el
mismo resorte y el mismo péndulo hace relo-
jes tan diferentes y con las mismas pasiones hace
hombres y mujeres, se ha descuidado un poco al
fabricar á nuestro Aracil, y le ha dado poco sentimiento y demasiado egoísmo. Se dice que algunos
tienen la cabeza de adorno; él creo que tiene toda
su sensibilidad para lucirla en las conversaciones..., pero eso no quita par que sea muy simpático.

— ¿Y qué cree usted que debo hacer? — le
pregunté yo.

— Si supones que no te has de entender con
tu futura madrastra, quédate aquí. Harías bien
además consultando con Venancio.

Me pareció prudente el consejo, y escribí á mi
primo explicándole lo que me pasaba. Me contestó en seguida. Era de parecer que no fuera á
América. Me decía que iban adelantando las gestiones par que pudiese volver pronto á Madrid.
Esperaba que en pocos meses se podría arreglar
esta cuestión. Mientras tanto, le parecía lo mejor
que estuviese en un colegio. La carta terminaba
con unas cuantas líneas que habían escrito todas
mis sobrinitas. Me conmovió ver estos garabatos
de mis chiquitinas y besé la carta con entusiasmo.

EL MATRIMONIO

El matrimonio se verificó con la facilidad que hay para esto en Inglaterra; no hubo ceremonia alguna ni fiesta; fuimos mi padre, la señora Rinaldi, Iturrioz y yo á una oficina de Registro; dimos todos nuestros nombres, edad y demás circunstancias, firmaron los novios y volvieron al hotel casados.

Á los pocos días mi padre me indicó que habían encontrado el pensionado par mí. Era, según me dijo, un hotel confortable y cómodo, en donde estaría con varias amigas. Se hallaba el colegio cerca de Kensington y lo dirigía una francesa.

Como mientras no se fuera mi padre estaba libre, fuí un día á casa de Wanda. Me encontré con Natalia Leskov y hablamos de la vida de los colegios.

— Le leerán á usted las cartas probablemente — me dijo Natalia.

— No creo.

— Á mí me las leían, y algunas chicas guardábamos del desayuno la leche en una taza, y luego mojábamos un palillo y escribíamos así á nuestras casas.

— ¿Y eso para qué? — pregunté yo.

— Porque un papel escrito así no se nota que esté escrito; pero si se acerca al fuego, aparecen en seguida las letras.

— Pues si yo observo que me leen las cartas, haré también eso. Ya sabe usted, Natalia — le dije en broma : — si recibe usted alguna carta mía del colegio, acérquela usted al fuego á ver si he escrito algo.

Me prometió que lo haría, y mis dos amigas me desearon buena suerte. Al día siguiente se marchaban mi padre y su mujer. Nuestra despedida fué muy triste; ni mi padre ni yo estábamos contentos; comimos juntos; después de comer, mi padre me dejó en el pensionado y se fué.

CAPITULO XI

LA PENSIÓN

Á los dos días de entrar en el colegio comprendí que se habían equivocado al llevarme allí y que no podría vivir en aquella casa.

El hotel donde se hallaba instalada la pensión de madame Troubat estaba hacia Kensington; á primera vista parecía un hotel cualquiera; pero fijándose bien, se veía que era una verdadera cárcel : las rejas eran altas, las tapias lo mismo; desde allí no se veía nada; no se podía salir al jardín más que en las horas de recreo, y siempre bajo la vigilancia de alguna profesora. Era un régimen de presidio. Aquello en vez de pensión, debía llamarse prisión.

La directora, madame Troubat, una francesa vieja, de pelo blanco, entusiasta de todo lo que fuera elegancia, dinero y gran mundo, era uno de esos tipos que se dan más que en ninguna parte en los países dominados por la democracia política, tipos tan adoradores de la aristocracia, que parece que su ideal sería convertirse en la alfombra pisada por un duque ó en la zapatilla de un lord.

La mayoría de las educandas eran irlandesas,

unas mujeres hurañas, fervientes ayunadoras, fanáticas y supersticiosas, dos ó tres bretonas y una portuguesa, basta y morena, que parecía una mulata.

Lo que más me disgustó fué ver que había dos muchachas recluídas, separadas de las demás, con un aspecto trágico y desesperado. No sé por qué me figuré que estaban secuestradas allí por sus familias á consecuencia de alguna aventura amorosa.

Madame Troubat y dos profesoras enseñaban francés, inglés y matemáticas, ejercicios literarios y lectura de Racine, de Corneille y de Fénelon á todo pasto. Allí se mascaba el aburrimiento, como hubiera dicho mi padre; ninguna de las muchachas encerradas era bastante interesante para sentir deseo de intimar con ella; únicamente estas misteriosas secuestradas atraían mi curiosidad.

Los domingos venía un abate francés, con una melena rizada á lo perro de aguas, que nos dirigía una plática muy melancólica acerca de la religión, en la cual mezclaba algo de política. No le faltaba el hablar del Rey-Sol, de Turenna, de Bossuet, del suplicio de María Antonieta y de otra porción de vulgaridades que los jesuítas franceses han fabricado expresamente para los colegios católicos.

Á pesar del aburrimiento que sentía en la casa, pensaba vivir allí resignada, cuando un día madame Troubat me llamó y me dijo :

— Querida mía, hace ya cerca de dos semanas que está usted aquí, y creo que pensará usted cumplir sus deberes religiosos. Dígame usted con quién se quiere confesar.

Yo iba á decir que no me confesaba con nadie, pero el ambiente de hipocresía de la casa me sugirió la idea de fingir, y dije :

— Ya pensaré.

Escribí á Iturrioz y le dije que hiciera el favor de venir á verme el domingo, porque le tenía que hablar. El domingo esperé con ansiedad, é Iturrioz no se presentó en el pensionado, ni al día siguiente tampoco.

LA TINTA SIMPÁTICA

Recordando lo dicho por Natalia, pensé que madame Troubat habría recogido mi carta. Mi primer impulso fué de interrogar claramente á la directora; luego comprendí que no conseguiría nada, y me entregué á la desesperación. Todas las noches encontraba en mi cuarto libros religiosos, papeles con advertencias sobre la muerte y el infierno, y comencé á tener miedo. El pensar que mi padre me había abandonado así en una casa como aquélla sin tomarse el trabajo de enterarse de nada, me producía una indignación contra él cercana al odio.

Madame Troubat no sólo tenía un fanatismo estrecho, sino que, además, como ferviente católica, pensaba que para llegar á un buen fin todos los medios son buenos, y mentía además con una facilidad extraordinaria.

— Ya ve usted — me dijo una vez : — su padre es el que me ha encargado que la convenza á usted para que cumpla sus deberes religiosos.

Y viendo que yo no protestaba, añadió :

— Yo no hago más que cumplir las órdenes de su padre.

La superiora marchaba sin violencia por el camino tortuoso. Yo comenzaba á pensar horrorizada en mi situación; Iturrioz no había recibido mi aviso; probablemente, si escribía á cualquier otro pidiéndole que viniera á verme, recogerían también mi carta.

En este trance, pensé en el consejo de Natalia de escribir con tinta simpática. Si madame Troubat no sospechaba nada, podía ser una solución salvadora; de todas maneras, antes de tomar una determinación heroica, me pareció que debía intentar aquel procedimiento. Un día que pretexté estar enferma, hice que me llevaran la comida al cuarto, guardé un poco de crema del postre, y escribí con un palillo mojado en ella en un papel lo siguiente : « Natalia : vaya usted á Bow Street, 15, almacén de frutas; pregunte usted por el español Iturrioz, y dígale usted que venga á verme al pensionado. Estoy encerrada. — *María Aracil.* »

Luego de hecho esto, cuando se secó el papel escribí en las interlíneas con tinta corriente una carta á Natalia pidiéndole que me enviara una novela de Walter Scott y un libro de oraciones olvidados por mí en su casa. Al secarse el papel no se notaba nada de lo escrito con la crema.

Envié la carta, y los días posteriores estuve muy inquieta y desazonada.

— ¿ Habrá recogido la carta la directora? — pensé — ¿ó será que Natalia, no recordando nuestra conversación, no habrá tenido la idea de acercar el papel al fuego?

Al tercer día, á la hora del almuerzo, oí con el corazón alborozado la voz de Iturrioz en la sala que en nuestro colegio hacía de locutorio. Parecía que la directora se oponía á dejarle pasar, pero Iturrioz levantaba la voz, y al último me avisaron que saliera. En pocas palabras le puse al corriente de lo que sucedía.

— Bueno, vámonos ahora mismo — dijo él.

Iturrioz explicó á madame Troubat que yo me veía en la necesidad de marcharme á España, se opuso la directora, intervine yo, y hubiéramos estado discutiendo largo tiempo, si á Iturrioz no se le hubiera ocurrido un recurso de efecto.

Metió la mano en el bolsillo, sacó el número del *Daily Telegraph* en donde venía el retrato mío y el de mi padre, y en un inglés macarrónico dijo :

— Esta señorita... anarquista... cómplice en la bomba contra el rey de España...

No tuvo necesidad de más explicaciones. Madame Troubat me ordenó de una manera trágica que inmediatamente saliera de su colegio, y mandó poner mi ropa y mi maleta á la puerta.

Al salir Iturrioz y yo, la directora cerró con un portazo y dió dos ó tres vueltas á la llave.

En la calle me esperaba Natalia. Nos abrazamos afectuosamente. Tomamos el *tubo* y en pocos momentos estuvimos en el centro de Londres.

— ¿Y ahora qué piensas hacer? — me dijo Iturrioz.

— No sé todavía.

— Te advierto que tu madrasta, en previsión

de que te ocurriera algo, ha dejado á tu nombre
doscientas libras esterlinas.

— Si puedo vivir sin ellas, lo haré.

Y pensé seguir adelante en el camino recto :
trabajando, luchando, sin buscar el atajo que pudiera llevar á la riqueza ó al placer, próximos á la
indignidad.

SEGUNDA PARTE

LAS DESILUSIONES

AHORA EL AUTOR...

Ahora el autor, al tomar la pluma de su heroína y seguir escribiendo, quisiera poder resarcir á sus lectores de las descripciones pesadas y de las digresiones insignificantes, dándoles una impresión de claridad y de fuerza, le serenidad y de confianza en la vida, como cualquier escritor del Renacimiento. Quisiera pintar como una novedad la cita de los amantes que se hablan á la luz de la luna, en el parque poblado de blancas estatuas; la terquedad del padre anciano de las largas barbas ; la intensa maldad del traidor, cuyo aliento ponzoñoso envenena las estrellas; la suspicacia del marido torturado por el horrible aguijón de los celos, y la cautela de la esposa adúltera que busca á su amante en el obscuro seno de la noche. Quisiera también contar con pala-

bras brillantes y entonadas el furor de los ejérci-
tos, la entrevista de los guerreros, el concilia-
bulo de los asesinos siniestros y el espectáculo
del campo de batalla, con los ríos teñidos de
sangre y las montañas de muertos exhalando la
peste. Luego de vestir las figuras á la moderna y
de moverlas bajo el sol de nuestros días ó bajo
los rayos de la luz eléctrica, el autor, con una
mutación un tanto teatral, pintaría la paz solemne del campo, el pastor que conduce su ganado
mientras en el azul del crepúsculo tiembla una
estrella de plata, y la mañana luminosa, cuando
la alondra levanta su vuelo y hace oir en la serenidad del aire las notas agrias y desacordes de
su canto. En este ambiente de luz pondría el dulce idilio del joven que marcha por la vida como
un corcel desbocado y de la pálida virgen que
con sus manos blancas y suaves como el plu-
maje de la paloma trata de detener su corazón,
pájaro prisionero próximo á escapar de su pecho.

EL LAMENTO DEL FOLLETINISTA

¿Pero cómo dar á todas estas viejas figuras, á
todas estas viejas imágenes, su brillantez y su
entonación primera? El sol de la vida artística resulta extinguido y su paleta no sabe pintar como
antaño con la misteriosa alquimia de sus colores
los hombres y las cosas; las pasiones se han convertido en instintos ó en tonterías; las flores de
la retórica se han marchitado y huelen sólo á
pintura rancia; la frase más original sabe á lugar

común, y los adoradores de la antigua Grecia
quieren restaurar el espíritu helénico con Parte-
nones de cartón de una perfección grotesca.

Ya casi no hay hombres buenos ni malos, ni
traidores por vocación, ni envenenadores por capricho. Hemos descompuesto al hombre, al conjunto de mentiras y verdades que antes era el
hombre, y no sabemos recomponerle. Nos falta
el cemento de la fe divina ó de la fe humana,
para hacer con estos cascotes una cosa que pa-
rezca una estatua. Hemos perdido la ilusión por
este monillo que se llama á sí mismo sapiente, y
en vez de maravillarnos su actitud, á pesar de su
ciencia, á pesar de su genio, á pesar de sus atre-
vimientos, nos inspira una profunda lástima
cuando no nos da risa. Nos hemos acostumbrado á tutear á los dioses, á los reyes y á los héroes. Hemos jubilado todo lo maravilloso. ¡ Oh,
magníficos dioses de mármol circunspectos y
graves, adustos santos de piedra, imágenes en
talla de beatos y de venerables con peana dorada y ojos de cristal ! Ya no servís más que para
decorar los rincones de las tiendas de antigüedades. Sentimos hoy el mismo fetichismo que ayer,
pero lo consideramos como una vergüenza. Somos demasiado sabios y demasiado viejos para
sentimos cándidos, orgullosos y altivos ; así
nuestra existencia es humilde y cómica. Somos
pequeños bufones, envenenados por la sociedad,
por esta societad á la que descompondremos
riendo, mientras no podamos darle el golpe de
gracia hundiéndole la más afilada aguja impreg-
nada en la toxina más venenosa, en medio del

corazón. Hoy el porvenir y aun el presente es
de los profesores socialistas, de los que saben,
cuentan, miden, hacen estadísticas y discurren,
al parecer, con la cabeza.

ENVÍO Y DISCULPA

Así, pues, viejo pajarraco del individualismo
anarquista y romántico, ave de presa sin pico y
sin garras, con las plumas apolilladas, las alas
paralíticas y el estómago dispépsico, que no sabes volar como las águilas ni desgarrar como
los buitres, estás de sobra. Retírate á tu agujero
ó cataloga tu momia en las vitrinas de un museo
arqueológico...

No; seguramente el autor no tiene la culpa de
no poder dar á sus lectores una impresión de
claridad y de fuerza, de serenidad y de confianza
en la vida como el más modesto narrador del
Renacimiento.

CAPÍTULO PRIMERO

UN BARRIO POBRE

EL primer día María y Natalia fueron á dormir
á casa de Wanda. María sentía una gran indignación contra su padre por el encierro sufrido en
el pensionado. Por la noche le escribió una larguísima carta llema de acritud y de reconvenciones.

Al día siguiente al ir correo estuvo por no echar
su carta, pero se sintió implacable como el Destino,
y la depositó en el buzón.

Natalia anduvo buscando casa y decidieron las
dos amigas ir á vivir juntas. Iturrioz encontró para
ellas, por diez chelines á la semana, dos cuartos
amueblados en Little Earl Street, una callejuela
próxima á Shaftebury Avenue, que por las mañanas solía estar intransitable con sus puestos de
verdura y de pescado.

Se hallaba esta calle enclavada en el barrio de
San Gil, barrio considerado antiguamente como
el más pobre de Londres, cuando todas las calles del centro de la gran ciudad eran tan estre-
chas, que un lord de la época las comparaba con
tubos de pipa. Este barrio había sido asilo de
irlandeses pobres y de mendigos. En otro tiempo
en Londres cada colonia tenía un barrio y su pro-

fesión predilecta : los irlandeses habían escogido
San Gil, los franceses Soho, los alemanes Hol-
born, los italianos las proximidades de Gray's Inn
Lane, los griegos Finsbury Circus, los judíos
Houndsditch y los españoles Mark Lane.

Cada colonia de éstas tenía también su profesión predilecta : los de Cornwall trabajaban en
metales, los belgas eran lecheros, los escoceses
panaderos y jardineros, los irlandeses albañiles
y cargadores de los docks, los franceses modis-
tos, tintoreros y zapateros, los alemanes panaderos y pasteleros, los holandeses relojeros y fabricantes de juguetes, los judíos ropavejeros y
peleteros, los italianos fabricantes de espejos y
de barómetros, estucadores y músicos callejeros,
los suizos fondistas, los indios barrenderos y los
españoles vinateros y fruteros.

Hoy esta especialización apenas existe, y en
el barrio de San Gil hay tantos irlandeses como
escoceses ó ingleses. Lo que sigue habiendo como
antes es gente pobre.

Cerca de la casa alquilada por Iturrioz se hallaba la plaza de Seven Dials ó de los Siete Cua-
drantes, adonde convergían siete callejuelas, en
otro tiempo rincón de mala fama, especie de
Corte de los Milagros londinense y hoy ya un sitio
sin carácter alguno y con el aspecto de una pla-
zuela concurrida y animada.

En el piso bajo de la casa había un pequeño
establecimiento de objetos de náutica, y en el
escaparate estaban expuestas poleas, muestras de
cuerdas y de cables, linternas y brújulas.

Los dos cuartos alquilados por Iturrioz eran

limpios, bien amueblados y con ventanas á la calle. Ciertamente esta calle no era ni muy clara, ni muy alegre, pero no dejaba de tener sus curiosidades.

María no poseía muchas cosas é hizo muy pronto su mudanza; Natalia trasladó sus bastidores, pinturas y cajas, y cuando lo tuvo todo arreglado fué por su hija, que la tenía en el campo. La pequeña Macha era una chiquilla morenita, de ojos negros, muy viva y graciosa.

UNA IRLANDESA MURMURADORA

Al día siguiente del traslado, por la mañana, María se preparaba á salir á la calle, cuando llamó á la puerta de su cuarto una vieja con peluca rubia y aire grave de dueña ; venía á ofrecérsele por si necesitaba algo. Le dió María las gracias, y la vieja, sin duda charlatana, comenzó á hablar por los codos y á lamentarse de su suerte. Dijo que era irlandesa y católica, lo cual, según ella, le daba cierta relación de paisanaje con María.

Había estado casada con el señor Padmore, un caballero irlandés, hombre verdaderamente honrado, digno y religioso, y que odiaba á los masones. Á su marido le habían dicho una vez que si se hacía masón le darían una fortuna, pero Padmore, firme en sus convicciones católicas, no había aceptado. Mistress Padmore era pariente de los amos de la casa y una verdadera víctima, según afirmó.

La buena señora no paraba de hablar ni de

gemir, y María tuvo que advertirle que ella tenía
necesidad de marcharse. Suspiró mistress Padmore, y aseguró que por la noche contaría cosas
muy interesantes.

Fué María á ver á Iturrioz; éste se encargó de
poner anuncios en los periódicos pidiendo un
empleo para una mujer en las condiciones en que
ella se encontraba. Preguntó además en varias
agencias de colocaciones, y después de comer en
un pequeño *restaurant* italiano de Soho Square,
volvió á casa al hacerse de noche.

Mistress Padmore, que debía de estar espiando
su llegada, se presentó al poco rato en el cuarto
y comenzó á contarle las cosas interesantes que
le había prometido. Le dijo que míster Cobbs, su
pariente y amo de la casa y de la tienda de náutica, era de la Salvation Army, esta secta religiosa
dedicada á salvar almas con la eficaz ayuda de los
sonidos combinados de un bombo y de un cornetín
de pistón.

— Á pesar de esto — dijo haciendo una pausa
la señora Padmore, — los publicanos siguen haciendo su negocio.

— ¿Quiénes son los publicanos? — preguntó
María asombrada.

— ¿Quiénes han de ser? Los taberneros — dijo
la vieja con tristeza. — La Salvation Army va
á las tabernas á arrancar de allí á los obreros.
¿Usted cree eso?

— No sé.

— Pues yo no — afirmó rotundamente mistress
Padmore; — ¿sabe usted por qué no creo tal
cosa?

— ¿Por qué?

—Porque todos son masones.

En la conversación la irlandesa habló á María de ciertas personas que tenían la desgracia de entregarse á la bebida, como si entregarse á la bebida fuera una cosa tan fatal é inevitable como una enfermedad. Al hablar de la bebida suspiraba; sin duda en su fuero interno pensaba que esta desgracia no era tan grande como se decía. Después contó la historia de una vecina que habiendo perdido á su marido á consecuencia de un acidente del trabajo, y cobrado una fuerte indemnización, no encontró mejor procedimiento para liquidar su indemnización que bebérsela á la salud del difunto.

Mistress Padmore, luego de decir pestes de míster Cobbs, de la vecina y del tsim bum bum, de la extraña secta llamada Salvation Army, habló de Cobbs junior, el hijo del amo de la tienda de náutica. Este era un joven alto, afeitado do, melenudo, á quien María acababa de ver al entrar en casa. Le había dado la impresión de un tipo estrambótico, y lo era indudablemente; Cobbs junior poseía una cara inyectada, una nariz chata, unos ojos abultados y una expresión sosa, fría, insípidamente triste. Vestía de negro, levita larga y cuello alto.

— ¿Usted le conoce? — preguntó mistress Padmore.

— ¿Á ese joven? Sí, lo acabo de ver — contestó María.

— Ese es Samuel Cobbs, el hijo; otro farsante como el padre. Siempre le verá usted con un gesto de hombre resignado, rezando ó hablando con una voz de gaviota.

— ¿Y qué hace ese joven? — preguntó María como si realmente le importase algo.

Mistress Padmore explicó que Samuel pertenecía á una sociedad bíblica y solía ir á cantar salmos á Hyde Park. La irlandesa no creía tampoco en la religiosidad del joven Samuel, y pensaba que también estaba vendido á los masones.

Si no su religiosidad, Cobbs junior había demostrado su habilidad constituyendo una nueva asociación, especie de filial de la Salvation Army, con la que sacaba ya algún dinero, pero pensaba ir á América á poner su invento en explotación. La novia de Cobbs junior era también oficiala del ejército de Salvación y solía ir á salvar almas y á sacar de las tabernas á los obreros de Whitechapel y de Bethnal Green, pero mistress Padmore dudaba igualmente de las intenciones piadosas de esta muchacha y aseguraba que se le había visto paseando del brazo de un sargento en Hyde Park.

Para terminar la irlandesa habló mal del criado de la casa, un tipo extraño, de facha quijotesca, con las piernas delgadas cubiertas con unos pantalones á cuadros, llamado Percy Damby, con quien ella solía jugar á las cartas. La señora Padmore aseguraba que Damby hacía trampas en el juego. Cuando no quedó nadie de quien murmurar, mistress Padmore se fué saludando á María y diciendo que no había cosa peor que las malas lenguas.

CAPITULO II

TRABAJOS EN LA NIEBLA

Solas y sin protección, Natalia y María intimaron mucho. Natalia á los pocos días aseguró á su amiga que la consideraba, no como una amiga, sino como una hermana, y quiso que se hablaran de tú.

Natalia era de una generosidad extraordinaria y de un cariño por arrebatos. Á María le prodigaba nombres afectuosos en ruso que querían decir madrecita ó paloma ú otra cosa por el estilo. Tenía un carácter desigual y su hija prometía ser como ella; Natalia mimaba á su pequeña Macha, la besaba, la decía que era preciosa, y al poco rato la despreciaba y no la quería tener cerca.

— No puedes educar bien á tu hija — la dijo María una vez.

— ¿Por qué?

— Porque no. ¿Qué idea va á tener la niña de la justicia de los demás cuando ve que sin motivo alguno se la riñe y sin motivo se la mima?

Al oir esto Natalia, durante algunas horas estuvo incomodada con María y no quiso hablarla ; luego le dijo que los españoles debían tener el corazón de acero. María se echo á reir, la rusa se incomodó, y luego le pidió perdón y la abrazó efusivamente.

Convinieron en que hacía mal en tratar á la niña de una manera tan caprichosa, y Natalia prometió cambiar en obsequio de su Macha.

Natalia tenía casi siempre algún trabajo. En general, éste consistía en hacer copias y restauraciones para un judío vendedor de cuadros de una callejuela próxima á Soho Square. También dibujaba en un periódico ruso, pero no le tomaban todos los dibujos que enviaba, y los que le aceptaban le pagaban muy poco.

Á María le encantaba la idea de poder pasar sin el dinero de la señora Rinaldi, y desde que se reunió para vivir con Natalia, todo su afán fué buscar trabajo.

Leía los anucios de los periódicos y escribía á todas partes. En general, las contestaciones que recibía eran negativas. Una vez le enviaron cincuenta hojas para traducirlas del inglés al español y una carta que decía : « Si las traduce usted bien se le dará la obra entera. »

Se esmeró María en la traducción, la envió y esperó el resultado. Á los ocho días le devolvieron su trabajo rechazándolo con el pretexto de encontrarlo poco esmerado. María quedó muy desanimada con este principio.

Le contó el caso á Natalia, y la rusa, después de examinar las cuartillas, dijo :

— No te debes desanimar. Ya me figuro lo que han hecho.

— ¿Qué?

— Pues una cosa muy sencilla : han traducido el libro gratis.

— ¿Pero cómo?

— Facilísimamente. El que necesitaba la traducción ha enviado á siete ú ocho traductores á cada uno cincuenta hojas, haciéndoles á todos la misma advertencia que á ti; luego ha copiado las traducciones, las ha devuelto, ha dicho que no le sirven, y se ha encontrado con el trabajo hecho.

— ¡Será posible! ¿Y por qué te has figurado eso?

— Primero por la forma de la proposición; no se necesitan cincuenta hojas para ver si se traduce bien ó no; con dos ó tres bastan; y luego, porque hay algunas cuartillas manchadas con tinta de máquina de escribir, lo que indica que las han copiado.

— Eres un Sherlock Holmes — le dijo María.

Natalia debía tener razón, y en vez de desanimar á María lo sucedido, le dió más alientos y más prudencia.

Natalia la accompañó á las casas editoriales y agencias literarias próximas al Strand. Invariablemente un empleado torpe, que la mayoría de las veces no comprendía lo que se le hablaba, después de escuchar con un aire muy serio y pensativo, las dirigía á otro empleado á quien le pasaba lo mismo, y así andaban de aquí á allá sin adelantar nada.

Un escritor de una revista popular la dijo :

— Tradúzcame usted algo español muy pintoresco y sensacional, y que tenga de tres á cuatro mil palabras.

María, esperanzada, compró varios libros españoles y comenzó á traducir cuentos y trozos de novelas antiguas y modernas. Invariablemente le iban devolviendo sus traducciones, lo cual constituía para ella un gasto de sellos terrible. Una vez se le ocurrió pegar los bordes de la primera y la segunda cuartilla y enviar así cuatro ó cinco trabajos. Se los devolvieron todos y vió que no habían despegado las cuartillas, lo que indicaba que no las habían leído. Decidida á sentirse enérgica, fué al editor y le dijo :

— Me hace usted trabajar inútilmente, porque en su casa no leen lo que yo les envío.

— Aquí se lee todo — contestó el editor con frialdad.

— No es cierto, porque en mis últimas traducciones mandé pegadas las cuartillas y me las han devuelto tal como las envié.

— Á mí me basta leer la primera cuartilla para comprender si un trabajo es interesante ó no.

El editor tenía que tener razón á todo trance, y no valía replicar. Las contestaciones de los anunciantes eran por el estilo; á veces resultaban cosas inesperadas y extrañas. Una vez leyó María un anuncio raro : se trataba de un señor que quería dar trabajo bien retribuído á muchachas jóvenes y sin familia. En seguida de leer este anuncio escribió especificando lo que ella sabía hacer. Á los dos días le contestaron diciendo que se le daría trabajo si era buena católica. Era una invitación al camino tortuoso. María no vaciló en contestar que no tenía fe. Pocos días después recibió una carta muy larga del anunciante. Firmaba un señor

que pertenecía á la Compañía de Jesús. En la
carta se lamentaba de que una española no fuese buena católica, y terminaba reconociendo que
él favorecía exclusivamente á las personas con
ideas religiosas.

DURO APRENDIZAJE

Las gestiones diarias que iba haciendo constituían para María un duro aprendizaje; en todas
partes encontraba gente áspera, malhumorada y
hosca, que la trataban sin consideración alguna.
Muchas veces salía á la calle con las lágrimas en
los ojos. Nunca hubiera sospechado que la vida
del trabajo tuviera tantas vejaciones y tanta amargura. Sin embargo, no se arrepentía. En último
término, pensaba presentarse en la Embajada española á que la llevasen á Madrid aunque fuese
atada codo con codo.

Por intermedio del señor Mantz del hotel encontró durante unas semanas ocupación en casa
de un abogado de Lincoln's Inn. Consistía este
trabajo en traducir exhortos, piezas de proceso y
anuncios de un idioma á otro. Generalmente eran
cuestiones de Ingeniería y de Mecánica difíciles
de comprender, que la obligaban á ir varias veces
á consultar enciclopedias y diccionarios técnicos
en la biblioteca del Museo Briánico. Aquí pudo
tener María otro campo de observación de la miseria del proletariado intelectual. El público de
la biblioteca, excepto algunas mujeres elegantes
que iban á leer novelas, lo formaban tipos hara-

pientos, hombres barbudos, sucios, encorvados, mujeres marchitas, desgarbadas y tristes. Estos desdichados, alemanes rubios todo barbas y melenas con grandes anteojos; rusos abandonados y grasientos, italianos con traza de tenores; orientales de todas castas, hacían copias para casas editoriales y revistas, y daban lecciones á domicilio de una porción de idiomas á dos chelines por hora. Este era el precio máximo, porque algunos daban lecciones mucho más baratas. Las mujeres habían perdido el aire femenino y no tenían coquetería alguna.

Al mes de encontrar trabajo en casa del abogado de Lincoln's Inn, María lo perdió sin que fuera suya la culpa. Había llevado al abogado una traducción del inglés al francés de un proyecto de fábrica de pastas para sopra. El hombre se puso á leerla, y de repente de una manera brutal, exclamó :

— Esto es un disparate. Esta no es una frase francesa.

María vió á qué se refería el abogado y dijo estremecida :

— Perdone usted; ésa es una frase francesa.

— Yo le digo á usted que no.

— Pues yo le digo á usted que sí, y si tiene usted un diccionario de modismos, mírelo usted.

— Pues precisamente aquí lo tengo.

Cogió el diccionario, y sin duda en el momento de ir á verlo tuvo miedo de la plancha que iba á hacer, y dijo :

— Está bien; no quiero discutir — y siguió leyendo.

Al concluir preguntó María :

— ¿Cuándo volveré?

— Ya le avisaré á usted — contestó el abogado, y dejó el dinero encima de la mesa.

— ¡ Qué gente ! — murmuró Natalia cuando le contó su amiga lo sucedido. — ¡ Claro !, toda su cortesía la gastan con los ricos y los poderosos, y no les queda nada para los pobres.

Como había supuesto María, el abogado no la volvió á llamar.

UNA CACATÚA LITTERARIA

Un día Natalia vino con la noticia de que en casa de su patrón, el judío vendedor de cuadros, una escritora ilustre había encargado que le buscasen una secretaria.

Su dirección era un club de señoras de Piccadilly, y su nombre constaba en la tarjeta que había dejado la escritora.

Sin perder tiempo, por la tarde, María tomó el ómnibus y se plantó en el club, que se hallaba próximo á Green Park. Preguntó en la portería por la escritora y la dejaron pasar. Había en un salón unas cuantas mujeres soñolientas sentadas en butacas, fumando cigarrillos y leyendo periódicos.

En la antesala, un telégrafo iba dando al segundo noticias de las carreras de caballos que se estaban celebrando en aquel momento.

Una señora elegante, guapísima, se acercó á María.

— ¿Qué caballo cree usted que ganará? — la dijo.

— No sé — contestó ella.

— Veo que no le importa á usted mucho.

— Efectivamente.

— ¿No es usted inglesa?

— No, señora.

— ¿Italiana quizás?

— No, española.

— ¡ Ah, España ! ¡ Heimoso país ! ¿ Viene usted á entrar en el club?

— ¡ Oh, no ! — Y contó lo que pretendía.

— ¡ Ah ! ¿De manera que está usted en mala situación? ¡ Qué lástima !

En esto se acercó á ellas una mujer fea, seca, antipática, de color amarillo, con lentes, el pelo corto y los dientes largos. Era la ilustre escritora que necesitaba una secretaria. María le expuso sus pretensiones y le dijo lo que sabía hacer. La escritora escuchó distraídamente, agitando en la mano un periódico; luego, interrumpiendo á María y con una voz de cacatúa, preguntó :

— Usted es la que me recomienda Toledano, ¿verdad?

— Sí, señora.

— ¿Es usted judía?

— No, señora.

— ¿Qué es usted, soltera ó casada?

— Soltera.

— ¿Tiene usted algún amante?

— No, señora — le contestó María azorada.

— ¿No ha tenido usted nunca amantes?

— No.

— Entonces no me sirve usted — y la escritora le volvió la espalda.

María quedó sorprendida y turbada. La otra señora elegantísima, tomándole de la mano, dijo con desenfado :

— No le haga usted caso; es una vieja loca; — y añadió — : Si en algo puedo servir á usted, aquí tiene usted mis señas y mi nombre; — y le entregó una tarjeta.

DESALIENTO

Salió María del club entristecida y desalentada. Entró en Green Park con intención de descansar. Hacía un día hermoso, tibio, sin sol; los bancos estaban llenos; algunos vagabundos dormían tendidos en la hierba; los soldados de casaca roja, con el pecho abombado y un látigo en la mano, se paseaban con aire petulante. De Green Park entró en Saint-James Park y se sentó cerca del estanque. Estuvo contemplado los pelícanos que marchaban sobre la hierba. Aquellos animales, á pesar de estar lejos de su país y de su clima, parecían felices en su esclavitud.

María pensó si su vida, si su ideal de marchar siempre en línea recta no sería una tontería insignificante. Sentía un gran cansancio y una profunda tristeza.

Permaneció sentada mucho tiempo. Al caer de la tarde se dispuso á volver á casa. No estaba muy segura de encontrarla por entre calles y fué á buscar el río. Atravesó Whitehall y salió al muelle, cerca del puente de Westminster. Se asomó

al pretil y se apoyó en él, cansada, sintiéndose
débil, incapaz de luchar.

El viento iba empujando la bruma; las torres
lejanas aparecían y desaparecían al correr de las
masas densas de niebla. Pasó un tren silbando
y trepidando por el puente de Charing Cross. En
el río, algunas lanchas bogaban de prisa im-
pulsadas por el movimiento acompasado de los
remos, y los gaviotas blancas tendían su vuelo
por encima del agua.

Al descorrerse la niebla se veía la orilla izquierda con vaga claridad. María la contemplaba ensimismada, sin pensamiento, dominada por una
laxitud profunda. Se divisaba un bosque de chimeneas, una confusión de grúas, de pilas altas
de madera, de carteles, de grandes cadenas, de
casetas con las paredes de cristal. Las grúas mo-
vían gravemente sus altos brazos, las chimeneas
lanzaban al aire su humo negro y salía de aquella aglomeración de fábricas y de talleres una
sinfonía de martillazos, cuando no un silbido ó
el tañer de una campana.

María pensó en su padre y en Venancio, en la
vida tranquila y alegre que había llevado en Madrid, y al verse allí abandonada y sola sintió ganas de llorar. Pensativa miraba el río, cuando
uno de la Policía se acercó á ver lo que estaba
haciendo, y espantada, pensando en que la podían detener, siguió adelante...

Un sol pálido iluminaba la orilla opuesta y se
reflejaba temblando en el río. Á la luz cobriza
del anochecer se destacaban una porción de cosas
confusas : grupos de barracas negras y de casas

viejas ahumadas, letreros, enseñas, almacenes, altas chimeneas..., una grúa trabajaba todavía; un cristal centelleaba y un león negro de la muestra de una fábrica se destacaba sobre un tejado...

Un instante después la superficie del Támesis enrojecía y tomaba un tinte de escarlata. Comenzaron á brillar luces eléctricas, primero tenues, luego más fuertes, á medida que iba obscureciendo. Sonaron aquí y allá el toque de campanas y de cornetas que anunciaba el paro de la labor diaria, y sólo turbó la paz del crepúsculo el silbido lejano de las locomotoras. La gran ciudad trabajadora se preparaba á descansar de las fatigas del día. Cruzó María por debajo del puente de Charing Cross. Iba ensimismada, y el ruido de un tren que comenzó á pasar por encima haciendo retemblar todo el hierro del viaducto, la hizo estremecerse.

Cuando llegó cerca del puente del Waterloo, la niebla espesa se tendía sobre el río, las grandes chimeneas, las altas grúas de la orilla del trabajo dormían en la obscuridad, y en todo lo largo del muelle de la orilla izquierda, de la orilla rica, comenzaba á resplandecer una estela brillante, una línea luminosa de grandes focos eléctricos que palpitaban flotando en medio de la bruma, entre el cielo y la tierra, y se reflejaban temblando en el agua...

Sintió María de nuevo una congoja, la impresión del abandono y de la soledad, una inmensa laxitud, un deseo de renunciar á la lucha, y luego, haciendo un esfuerzo sobre sí mísma, se tranquilizó y corrió hacia su casa.

CAPITULO III

EL ANARQUISTA BALTASAR

María quería hacer toda clase de tentativas antes de ir á recoger las doscientas libras depositadas por su madrastra en casa de un banquero americano.

Iturrioz le prestó algún dinero, pero tan poco, que se acabó en seguida.

Natalia andaba también mal de fondos; hubo día en que después de pagar los diez chelines de la casa se quedaron las dos sin un céntimo. Habían comprado una caja grande de avena prensada, y durante algún tiempo comieron sólo avena con leche. Natalia daba casi toda su ración á su hija, y la pequeña Macha engordaba y su madre enflaquecía.

Concluyeron con la avena, y como no se presentaba ningún trabajo, María pensó, teniendo en cuenta, más que á ella misma, á Natalia y á su chica, que debía ir en busca de las doscientas libras de su madrastra. Por la tarde tomó un coche, fué á la casa de banca y se la encontró cerrada. Era sábado y María no había tenido en cuenta

que este día se cierran los despachos á las dos de
la tarde.

Volvió á casa desde la City andando. Natalia,
al oirla llegar, le salió al encuentro. No había qué
comer. Con un par de chelines hubieran podido
tomar el tren y marchar á casa de Wanda, pero
no tenían ni un céntimo.

María se acordó del ofrecimiento del anarquista
Baltasar, buscó su carta entre los papeles, y la encontró. Traía las señas. Vivía hacia el norte de
Islington. Miraron la calle en un plano, y estaba
muy lejos.

— De todas maneras iremos — dijo Natalia, y
llamó á la señora Padmore, como solía hacer otras
veces cuando se marchaba de casa, y le encargó
que cuidara de su niña.

Mientras tanto María, registrando su mesa encontró un papel de sellos, y pensó en venderlos.
Los metió en el portamonedas, y al pasar por una
oficina de Correos, entró, se acercó á la ventanilla
y preguntó á un empleado si le podrían dar el
valor de los sellos. El empleado, murmurando algo
entre dientes, dejó en la taquilla un chelín y unas
monedas de cobre. María, muy avergonzada, tomó
el dinero y salió á la calle.

Se enteraron de lo que costaba el ómnibus hasta
el barrio del anarquista, y como les sobraban
algunos peniques, entraron en una pastelería y
tomaron dos pasteles cada una y un poco de te.

El ómnibus, desde Tottenham Court Road, las
llevó más allá de una encrucijada llamada El
Ángel, y el cobrador les indicó por dónde tenían
que tomar para encontrar la calle que buscaban.

Era una callejuela muy estrecha y negra, ésta del norte de Islington donde vivía el anarquista. Dieron con ella, buscaron el número, lo encontraron y se detuvieron delante de una casa pequeña. En la puerta, escrito en una placa de cobre, se leía :

C. BALTASAR. — MECÁNICO

Debajo había un botón de un timbre. Llamaron, y al cabo de bastante tiempo, de una tienda contigua salió un hombre sin chaqueta que les preguntó en inglés qué querían.

— ¿Está el señor Baltasar? — preguntó María.

— No sé. Voy á ver.

— Somos compañeras que quieren hablarle — dijo Natalia.

— Esperad un momento.

— ¡Ah! ¿Pero tú eres anarquista? — le dijo María á Natalia riendo.

— Yo sí — contestó la rusa con decisión.

El hombre de la tienda desapareció y se presentó al poco rato en la puerta y las hizo pasar á un estrecho portal. Luego se asomó al hueco de una escalera empinada y gritó :

— ¡Baltasar, aquí te buscan!... Subid, compañeras.

Subieron las dos la escalera obscura, cuyos peldaños crujían al apoyar el pie, y al final se presentó ante sus ojos una cabeza sombría, dantesca, de barbas negras y mirada brillante. Era Baltasar.

— Mi amiga María Aracil — dijo Natalia sin

dar tiempo á que el hombre hiciese ninguna pregunta —. Yo soy rusa.

— ¡Ah! ¿Es usted María Aracil? — exclamó Baltasar en castellano — ¡Salud, compañera! Sean ustedes las dos muy bien venidas — y les estrechó la mano fuertemente y las invitó á sentarse.

El anarquista separó de la mesa un caldero relleno de pez roja sobre el cual repujaba á martillo una bandeja de plata.

— Siga usted trabajando — le dijo Natalia.

— Bueno; entonces un minuto.

El hombre tomó un martillo pequeño y con un hierro hizo destacarse un detalle que estaba repujando.

— Ahora ya lo dejo — añadió después.

Se pusieron á hablar. El anarquista había leído la narración de la fuga de María y de su padre, é hizo una serie de preguntas acerca del viaje.

Natalia, mientras tanto, miraba sin hablar. El cuarto era largo y bajo de techo; tenía una ancha ventana de guillotina, pero resultaba obscuro. En la pared había estantes llenos de libros, una chimenea tapada con una tabla para que no entrara el viento, y varias perchas. Cerca de la ventana, en una mesa grande, se veían aparatos de mecánico, tornillos, ruedas, una palangana, un cuello postizo y un sombrero. Completaban el mueblaje una cama grande, una cuna, y en un rincón una bicicleta con los radios doblados.

En aquel agujero se desenvolvía la vida del anarquista; aquélla debía ser toda su casa.

Baltasar era un tipo de pirata mediterráneo, moreno, bajo, rechoncho, de cabeza enorme; tenía

algo de monstruo, la nariz ganchuda, el entrecejo
saliente, una verdadera testuz de animal que em-
biste; la mirada irónica, sombría y brillante; el
pelo negro y áspero como la crin, con mechones
blancos; el color cetrino y la sonrisa amarga.

El anarquista iba vestido como un obrero; por
entre su chaqueta se veía una camisa remendada;
de cuando en cuando agarraba el brazo del sillón
donde estaba sentado con su mano velluda y
fuerte.

SIN FE

Después de charlar con María en castellano,
Baltasar habló con Natalia en inglés de la revolución rusa. Natalia esperaba algo así como el santo
advenimiento de la revolución. Baltasar dudaba.
El ambiente de Londres había calmado los ardo-
res revolucionarios del anarquista, transformán-
dole en un escéptico.

— ¡ En Rusia hay tanta gente que no sabe leer !
— decía Baltasar — Eso es lo malo. Mientras el
pueblo permanezca ignorante, toda revolución
tiene que ser estéril.

— Hay que enseñarles; educar á los aldeanos
— replicó Natalia. — Eso es lo que deben hacer
ustedes.

— ¿Nosotros? No, nosotros no podemos ser
maestros — murmuró Baltasar en voz baja ; —
somos sectarios, podemos hacer propaganda, pero
nada más.

Se notaba en el anarquista su escepticismo y su

desilusión. Probablemente estaba más desengañado
aún de lo que aparentaba, pero escondía su desen-
gaño como una vergüenza. En realidad era triste
sacrificar la vida trabajando por el despertar del
pueblo para comprender, al cabo de muchos años,
que el esfuerzo hecho no servía de nada, y que
todas las andanzas habían sido carreras detrás de
una sombra.

— Y á Vladimir Ovolenski, ¿le conoce usted?
— le preguntó María.

— Á Vladimir, sí. Es hombre de talento — contestó el anarquista fríamente.

Después de hablar de Vladimir, Baltasar preguntó á María con franqueza el objeto de su vi-
sita, y ella, un tanto azorada, explicó la situación
en que se encontraba, la marcha de su padre y
las gestiones para buscar trabajo. Baltasar escuchó con gran atención y luego dijo :

— Yo no conozco gente de importancia. Como
comprenderán ustedes, mi nombre no puede ser
una recomendación muy eficaz. Lo único que podría hacer en su obsequio es recomendarles á un
amigo mío, Jonás Pinhas, que es un judío rico que
tiene una tiendecilla en el barrio de Soho, cerca de
donde ustedes me han dicho que viven. Á su casa
podrían ustedes ir á comer sin escrúpulo alguno.
Si quieren, le escribiré unas letras.

— ¡Oh! Muchas gracias. ¿Pero no será moles-
to para él? — preguntó María.

— Si lo fuera no les recomendaría á ustedes.
Tengo la seguridad de que no.

— Si es así…

Baltasar escribió la carta rápidamente en una

cuartilla, y como no tenía sobre se la dió doblada á María. Luego abrió el cajón de su mesa y anduvo registrando hasta que encontró algo.

— No se ofenderán ustedes — les dijo, y alargó media libra. — Es lo único que tengo ahora.

— ¿Pero y usted?

— ¡Oh, yo no necesito nada! Mi amigo el de la tienda de abajo no me abandona por eso.

— Muchas gracias. Muchísimas gracias — dijeron Natalia y María al mismo tiempo.

— De nada. Si necesito algún dinero y ustedes lo tienen, ya me lo darán también — y el anarquista se echó á reir con una risa ingenua. — ¡Vaya, salud, salud! — y estrechándoles la mano, las acompañó hasta la escalera y se volvió á su rincón.

Cuando estaban en el portal oyeron el ruido del martillo del anarquista. El repujador comenzaba de nuevo su trabajo.

— ¡Qué tipo! — exclamó María. — Al principio da miedo, ¿verdad?

— Sí.

— Y, sin embargo, tienen algo de santos estos hombres.

— No, los santos eran más egoístas — replicó Natalia; — aquéllos esperaban algo y éstos no esperan nada.

— Sí, — añadió María. — Este no tiene fe. Se ve que está desengañado.

Salieron de nuevo las dos amigas al Ángel, pero los ómnibus venían atestados y tuvieron que seguir el camino á pie.

Se había hecho ya de noche. La torre gótica

de la estación de King Cross se destacaba en el
cielo rosáceo. Brillaba la esfera de su gran reloj
como una luna azulada, pálida y triste. Por aquellas calles hormigueaba la multitud; obreros y
chiquillos correteaban por las aceras y algunos
borachos pasaban solos perorando. En Euston
Road, una calle ancha y larga, delante de un
teatro, una masa compacta de obreros y de gente
pobre esperaba que comenzase la función.

CAPITULO IV

EXTRAORDINARIA FILOSOFÍA DE UN PELUQUERO

EL señor Jonás Pinhas, á quien Baltasar había recomendado á las dos amigas, era el dueño de una tienda de Old Compton Street, antigua calle del popular barrio de Soho, barrio de artistas, de anarquistas y de petardistas.

Se hallaba la tienda del señor Jonás en una casa pequeña y negra, entre una peluquería y una librería de viejo que era al mismo tiempo almacén de antigüedades.

La tienda del señor Jonás se llamaba Los Tres Peces, título perfectamente justificado y explicado sólo con echar un vistazo sobre la portada, pues por encima del escaparate y á los lados de la muestra colgaban tres peces de hoja de lata. Es verdad que los tres estaban tan descoloridos y obscuros que parecían peces vestidos de invierno, pero no dejaban por eso de tener el honor de pertenecer á la ictiología artificial. El pez del centro de la tienda era un malacantopterigio, grande, con escamas, y danzaba en el extremo de una caña de pescar; los de los lados más pequeños y de inferior categoría zoológica, colgaban de unas sombrillas en otro tiempo rojas y convertidas por las lluvias y las inclemencias de la atmósfera en unos paraguas desteñidos.

El escaparate de Los Tres Peces se hallaba totalmente ocupado por un acuarium, en donde los anfibios, los reptiles, los peces de colores, las algas, las conchas, y hasta un molino de juguete, andaban á sus anchas. Á los lados de la puerta, en pequeños estantes, se exponían útiles de pesca : cañas de todas clases, anzuelos, redes, moscas de color para las truchas y demás pérfidos artefactos reunidos y catalogados en un libro. Se vendían también, ó por lo menos se exhibían, peces estrafalarios, anfibios y reptiles también estrafalarios convenientemente disecados. En la tienda del señor Jonás no se encontraba nada que no tuviera alguna relación con el agua.

Si era interesante el escaparate de Los Tres Peces, el de la peluquería próxima le aventajaba en mucho. Peluquería de Europa se llamaba, y era ciertamente digna de nuestro continente. ¡Qué escaparate el suyo! ¡Qué obra maestra! Á un lado y á otro dos cabezas de cera, una de hombre y la otra de mujer, las dos con pelo de persona y ojos de cristal, contemplaban al transeunte. No se sabía cuál de las dos era más pintoresca; si se estimaba que la mujer miraba con unos ojillos nublados y lacrimosos, podía creerse que su figura batía el *record* de lo desagradable; pero si se tenía en cuenta la sonrisa del hombre, estereotipada en los labios, como se dice en los folletines, entonces no se podía llegar á una solución satisfactoria, y la más horrible duda asaltaba al menos vacilante de los espectadores.

El peluquero en cuestión, no contento con esto y con decir en un cartel que no había en el Continente ni en el Reino Unido un aceite como el suyo de artemisa y de racagut, para hacer nacer el pelo hasta en la palma de la mano, había puesto en medio de su escaparate un cuadro de fotografías de monstruos presididos por el retrato de la reina Victoria.

Quizás no estuviese muy satisfecha la difunta graciosa majestad en su morada del empíreo al ver su vera efigie en medio de esta academia de fenómenos; pero ningún inglés de la libre Inglaterra podía encontrar censurable que un peluquero, llevado por su imaginación volcánica, encerrara en el mismo corazón y en el mismo marco sus entusiasmos por la reina y su admiración por los casos teratológicos más notables del mundo.

Entre estos apreciables monstruos se distinguían algunos casi grotescos, otros eran solamente repulsivos, y algunos participaban de ambas cualidades. Como más notables podían señalarse un chino de tres piernas; una mujer de largas barbas vestida con cierta coquetería, lazo en el cuello y abanico en la mano; un niño salvaje cubierto de pelo; un gigante vestido de soldado con la cabeza muy pequeña; dos recién nacidos unidos por la cadera; dos monstruos de gordura unidos por el matrimonio; un cretino de mandíbula simiesca, y un hombre-esqueleto con las piernas torcidas y el aire impertinente. Debajo, abarcando todas aquellas figuras, el peluquero, sintiéndose filósofo, había escrito, no con tinta, ni siquiera con sangre, sino con letras hechas con pelo de persona, este sentencia, digna por muchos conceptos de la antigüedad clásica :

« El hombre marcha hacia la tumba, dejando tras sí sus engañosas ilusiones.

¡ Terrible filósofo y terrible sentencia ! ¡ Extraordinario peluquero, aquel peluquero de Old Comton Street !

Jonás Pinhas nunca llegó á remontarse á las alturas filosóficas de su vecino el peluquero; más modesto en sus ambiciones, se permitía únicamente alguna broma ingenua con su nombre de Jonás y su tienda de peces. Suponía Pinhas que el destino vengaba la voracidad de la ballena bíblica, llamándole á él Jonás y haciéndole vendedor de anzuelos y de cañas de pescar, idea antropocéntrica que hubiera merecido el desdén de un filósofo y la sonrisa burlona del más insignificante de los zoólogos, al ver que el hombre del acuarium introducía fraudulentamente un cetáceo en la respetable clase de los peces.

EL SEÑOR JONÁS Y LOS TRES PECES

Natalia y María fueron al día siguiente de visitar á Baltasar el anarquista, á casa de Jonás. Era el dueño de Los Tres Peces un viejo chiquito con barbas de apóstol, ojos azules claros y sonrientes y manera de hablar lenta y reposada. Llevaba un balandrán remendado negro, una pelliza rojiza en el cuello y un casquete en la cabeza.

Leyó la carta del anarquista, sonrió, y dijo :

— ¡ Ah, muy bien, muy bien ! ¿ De manera que
tú te has escapado de España? ¡ Bravo, chiquilla !
Y ésta es rusa... ¡ Por el bastón de Jacob ! Me alegro, me alegro mucho... ¡ Ay mi pierna !

— ¿ Qué le pasa á usted? — le preguntó María.

— Esta pierna — murmuró el vejete. — El
reuma, la vejez... Estos huesos míos están ya car-
comidos... ¡ Bah, ya pasó !... Pues me alegro
mucho de veros... ¡ Ya lo creo !... Yo también pro-
cedo de España... Pinhas, ahora que mi apellido
dicen que era Peña... Pasad, pasad por aquí...
¡ Ay !... otra vez la pierna.

Andaba el viejo renqueando y se quejaba á cada
paso. Entraron las dos en la trastienda, cuarto
bajo y obscuro, de cuyo techo colgaba un caimán
disecado que destilaba la paja con que estaba relleno.

Las paredes se hallaban adornadas con viejas
estampas. Explicándolas Jonás se reía á carcajadas. Una de las que más gracia le hacía era la
caricatura célebre de Cruikshanck, que es una
comparación, sin duda un poco parcial, entre la
vida de Francia y la de Inglaterra. Á la izquerda
de la estampa pone: « Felicidad francesa », y unos
cuantos franceses desarrapados, flacos, jorobo-
dos, sin pantorrillas y con unas escarapelas en el
sombrero, se están disputando una rana; á la derecha está escrito : « Miseria inglesa », y cuatro
ingleses rollizos sentados á una mesa comen hasta
hartarse; á sus pies un gato y un perro están inmóviles de puro gordos.

De este cuarto, adornado con estampas y con

el caimán disecado, corría un pasillo, y por él desapareció el viejo Jonás; luego volvió, y dijo :

— Ya he encargado que pongan un postre. ¿Á qué hora vendreis?

— Cuando usted diga — contestó María.

— ¿Á las siete os parece buena hora?

— Sí, muy bien.

— Pues ya sabeis que os espero.

Por la tarde, al anochecer, María y Natalia con la niña se presentaron en la tienda de Pinhas. Pasaron á la trastienda. Una gran lámpra iluminaba el cuarto, la mesa estaba cubierta con un mantel blanco, los cubiertos gruesos de plata y los vasos resplandecían y el caimán se balanceaba junto al techo sonriendo irónicamente á los mortales.

Se sentaron á la mesa, y una criada vieja, de tez obscura y nariz de pico de cuervo, sirvió la comida.

Mientras comían, el patriarca de Los Tres Peces charló por los codos; nacido en aquella misma casa, nunca había salido de Londres, y, sin embargo, sentía la nostalgia de ver países meridionales, sin comprender que no existía ningún país meridional tan interesante como el barrio de Soho.

Hablaba el señor Jonás, además del inglés, el francés, el alemán y el español; había aprendido estos idiomas con los comerciantes extranjeros de la misma calle.

El viejo judío se las echaba también de revolucionario, y recordaba que en su juventud tuvo la audacia de entrar una vez en una taberna de

Whitechapel llamada el Águila. En esta taberna, en la sala de Los Proscriptos, se habían preparado varios regicidios. El amo de Los Tres Peces sólo pensándolo se estremecía. La pequeña Macha debió de notar que aquel patriarca era un buen sujeto, porque sin ceremonia alguna se le subió á las piernas y le tiró de las barbas; luego quiso probar qué clase de individuo colgaba del techo y exigió que la levantasen en brazos, y sintió una gran satisfacción al tocar al caimán, que así, como de mala gana, comenzó á balancearse de un lado á otro y á arrojar un poco de paja por sus heridas.

Después el señor Jonás, con la niña en los brazos, recordó con gran respeto al viejo Disraeli, que había estado dos veces en su tienda y que hablaba muy bien el castellano.

LA RANA SABIA

Al terminar la comida, el dueño de los Tres Peces dijo :

— ¿No teneis nada que hacer?

— No, nada.

— Entonces os voy á enseñar á la señorita Frog.

— ¿Dónde está esa señorita? — dijeron ellas mirando á un lado y á otro.

El señor Jonás tomó la lámpara, salió á la tienda, llevando de la mano á Macha, y seguido de María y de Natalia, se acercó á su acuarium, dió dos ó tres golpecitos en él, y poco después, por un agujero, salió una rana verde que miró descaradamente á todos.

El señor Jonás la tomó en la mano, la acarició y la hizo saltar y zambullirse.

— En invierno se acerca á la estufa — dijo.

— ¿De veras?

— Sí, y se ha hecho amiga del gato para calentarse junto á él Ya vereis.

El señor Jonás tomó la rana en la mano y la puso entre las patas de un gato blanco y viejo. El gato olió á la rana distraídamente y no la hizo nada.

Macha había presenciado estas maniobras con profunda admiración. El viejo Jonás reía á carcajadas. Cuando concluyó su experiencia, dejó la rana, que se metió en su agujero, y dijo:

— Hasta mañana, señorita Frog. ¡Buenas noches! — luego añadió : — Si viniera aquí un francés no se la enseñaría.

—¿Y por qué no?

— Porque se la querría comer.

El señor Jonás creía, ó aparentaba creer, que los franceses eran como los dibujados en la caricatura de Cruikshank, flacos, sin pantorrillas, con los hombros más altos que las orejas, y partidarios acérrimos de comer ranas.

Eran las diez y media, y hora ya de marcharse.

— Por el bastón de Jacob — exclamó el señor Jonás; — se me han pasado las horas sin sentirlo. Mañana vendreis, ¿verdad?

— Sí — dijeron las dos.

— Pues entonces hasta mañana

CAPITULO V

ALREDEDORES DE COVENT GARDEN

EL barrio donde vivían María y Natalia era un barrio ocupado en gran parte por almacenes de frutas, de hortalizas y flores, y habitado por gente pobre. Lo formaban calles angostas, con casas de ladrillo, pequeñas, negras, sin alero, con muchas ventanas simétricas. El suelo de aquellas calles estaba siempre húmedo. Por las mañanas, filas de carros y de camiones cargados hasta arriba interceptaban el paso. Estos carros grandes, con llantas de hierro, hacían al pasar más ruido que un furgón de artillería.

Un paseo por el barrio era muy interesante. En el fondo de los callejones y de los patios sombríos se veían las paredes de los almacenes negros con sus grandes poleas y cadenas. Por detrás de una tapia salía el ruido sordo de una máquina, el silbido de una caldera de vapor ó el golpe acompasado de un martillo.

Había por todo el barrio tabernuchas como cuevas, negras, obscuras, cuyos cristales, empañados por el polvo y el humo, no permitían ver el interior.

En este barrio, próximo al mercado de Covent

Garden, se trabajaba casi siempre con luz artificial; por las ventanas de las bodegas y subterráneos, á través de una tela metálica, se veía con vaguedad gente que andaba trajinando con fardos y cajas á la luz del gas.

Salía de estos agujeros una gran diversidad de olores agrios, más punzantes en la atmósfera densa y húmeda; los plátanos descompuestos exhalaban un tufo como de cosmético; las naranjas fermentadas despedían un olor avinagrado de éter.

Al mediodía, cuando cesaba el trabajo en el mercado, el suelo de las callejuelas adyacentes quedaba lleno de montones de papel, de residuos de frutas y de barro. Las mujeres salían de los estrechos portales á comprar en las tabernas patatas fritas, macarrones y cerveza.

En estas tardes de verano londinense, de larguísimos crepúsculos, en los cuales el día se disuelve lentamente en la obscuridad, acudían á aquellas callejas una porción de histriones populares que cantaban y bailaban al són de un organillo; algunos vestían de payaso; otros, de mujer, iban bárbaramente caricaturizados con la cara roja por el colorete, un sombrero destrozado y una sombrilla en la mano, y no faltaban los clowns envueltos en un traje de grandes cuadros multicolores.

Al mismo tiempo que estos excéntricos de importación americana, solían ir con frequencia organilleros italianos, sucios, morenos, con la melena larga y negra, acompañados de mujeres con traje de su país.

Llenaban la calle con las notas de canciones napolitanas, Santa Lucía y Funiculí-Funiculá. Aquellas callejuelas eran constante exhibición de vagabundos; uno que llevaba un bombo á la espalda y que lo tocaba al mismo tiempo que el acordeón y los platillos, aterraba á la niña de Natalia. Era ciertamente un tipo siniestro : torcido por el peso del bombo, con dos ó tres pañuelos despedazados en el cuello, el traje humedecido, los tufos negros por debajo del sombrero y la mirada inquieta y sombría.

LOS HOMBRES Y LOS CHICOS

Al anochecer, estas calles próximas al Mercado de Covent Garden se animaban; de los portales salían mujeres gordas, jovencitas cubiertas de harapos y una nube de chiquillos andrajosos. Estos chiquillos no tenían el aire ligero y alegre de los chiquillos pobres de España; eran sucios, tristes; las chicas parecían aplastadas por una boina grande de punto; los chicos, huraños y quietos, apenas jugaban.

Pero entre estos chicos poltrones había otros que á Natalia y á María les daban mucho que hablar. Eran granujas pequeñuelos, feos, atrevidos, con cierto aire de clown; iban con las manos metidas en los bolsillos, con un andar de hombres, haciendo fechorías por donde pasaban y hablando con una cómica desenvoltura. El aprendizaje en la vida de estos chiquillos debía de ser terrible.

En las proximidades del Mercado, como barcas ya inservibles cerca del puerto, se agrupaban hombres sin trabajo, viejos encorvados, entontecidos, agotados por la vida y por el alcohol, el traje azul sucio, las manos metidas en el bolsillo del pantalón y la pipa en la boca. Durante algunas horas, estos hombres aguardaban con la vaga esperanza de encontrar trabajo; luego, cuando la esperanza resultaba fallida, se iban refugiando en un rincón, en una reja, en el quicio de una puerta en compañía de algún vagabundo profesional de nariz roja, barbas rubias, sombrero destrozado y gabán de color tornasol.

Luego de estas callejuelas pobres, misérrimas, sin transición apenas, se encontraba el paseante en una calle rica, por donde transitaba gente bien vestida, ágil y fuerte, y daba la impresión de que se pasaba de una ciudad á otra, como en esos pueblos moros formados por dos ó tres barrios de distintas razas.

LA NIEBLA

Llegó octubre y comenzó el mal tiempo. Á medida que avanzaba el otoño, las lluvias y las nieblas producían un ambiente pesado y sofocante.

En algunos días la niebla era negra y daba la apariencia de noche obscura á las primeras horas de la tarde; en otros tomaba un color amarillo de barro, y se espesaba de tal modo, que no la atravesaba la luz de los más poderosos reflectores. Los faroles se encendían en la calle á eso de las tres de la tarde, pero cuando se presenta-

ban las nieblas densas y solemnes, comenzaba
el alumbrado á brillar desde por la mañana. Entre
la bruma espesa que parecía sólida, los focos
eléctricos nadaban como una nebulosa y daban
un resplandor azulado, mientras que los meche-
ros de gas producían una mancha roja, temblona,
como si fuese de sangre, en medio de la cortina
amarillenta que empañaba la atmósfera. En la
casa vivían el día entero con luz; á María le daba
la impresión de estar dentro de un túnel.

Á veces la niebla negra se cernía á la altura
de un segundo piso, y la calle, con las luces en-
cendidas, daba la impresión de la noche. Cuando
ese cielo bajaba ya no se veía nada.

En las aceras se tropezaba con los transeun-
tes. Los coches y los caballos surgían de pronto
en medio de la obscuridad, y los faroles de los
ómnibus parecían pupilas inyectadas de monstruos moviéndose en las tinieblas; alguna que
otra vez se veía pasar un coche con un policía
de pie en el pescante, que agitaba una antorcha
en el aire, lo que daba al espectáculo un aspecto
fantástico.

María y Natalia fueron dos ó tres días casi á
tientas á los Tres Peces; el miedo grande era
cuando atravesaban Charing Cross Road, porque
muchas veces los coches y los ómnibus formaban un trenzado y hasta se metían en las aceras.

Sólo Iturrioz las visitaba; por ellas conoció al
señor Jonás y se hizo muy amigo suyo. Iturrioz,
decidido á encontrarlo todo bien, decía que las
nieblas eran una cosa muy divertida y que las
encontraba más agradables que los días de sol.

Donde las masas de bruma producían efectos extraordinarios era en el campo; un día estuvieron en casa de Wanda, y Natalia y María quedaron admiradas de la fantasmagoría de la niebla entre los árboles. Allí, además, era blanco-azulada, y tomaba mil formas diversas. Tan pronto quedaba á ras del suelo y parecía un mar blanco en donde las copas de los árboles eran peñas, como formaba montes de algodón y palacios fantásticos.

En cambio, en el barrio donde habitaban, la combinación de la niebla y del humo era horrible y malsana; la calle estaba siempre sucia, mojada, pringosa. Muchas veces esta niebla olía mal, á hidrógeno sulfurado, y parecía que se habían reventado todas las alcantarillas del pueblo.

Desde fuera, en el interior de las casas, por las ventanas se veían los cuartos sucios, abandonados, al borde mismo de la calle, abiertos para ser ventilados, y en donde entraban la humedad y el frío. Cerca de la casa de María y de Natalia, unos mendigos solían esperar en fila, arrimados á una tapia, el momento de entrar en un asilo; algunas viejas salían de la taberna é iban borrachas apoyándose en las paredes; otras, envueltas en mantones raídos, de cuadros blancos y negros, ó en toquillas rotas, con viejos sombreros enormes comprados en cualquier trapería, charlaban en las aceras aguantando la lluvia.

En un soportal de la plaza de Covent Garden, unas cuantas mujeres sentadas en el suelo envolvían frutas en papeles de color y las ponían en cajas.

Por todo el barrio, en las casas y en las tabernas, se oían riñas y disputas. Los hombres, pegaban á las mujeres y á los chicos con una brutalidad terrible. Era triste ver en medio de esta civilización tan perfecta en tantas otras cosas, que se maltrataba á los niños como en ningún pueblo del mundo.

Los sábados los hombres se metían en los bars y no salían hasta que los echaban. Algunas veces se descolgaban por aquellos rincones hombres y mujeres del Ejército de Salvación, discurseaban á los borrachos, cuando no los obsequiaban con notas de clarinete y de cornetín de pistón. Los hombres escuchaban sin poder sostenerse en pie las insulsas pláticas de los salvacionistas; otros se reían, cuando no comenzaban enfurecidos á repartir puñetazos á diestro y siniestro, á vociferar y á desafiar á todo el mundo...

Tras de los días de niebla hubo noches serenas y frías, con el cielo despejado y sin nubes, en que las estrellas parpadeaban desesperadamente como si se estuvieran helando en aquellas alturas. Por el día brillaba algún pálido rayo de sol, y la gente, en las calles, parecía formar una comparsa de narices rojas y caras inyectadas...

CAPÍTULO VI

DICKSON, MANTZ Y COMPAÑÍA

A principios de invierno el señor Mantz, formando compañía con un tal Dickson, se estableció en la City y avisó á María Aracil por si quería ir de empleada. Aceptó ella con entusiasmo, y entró con un sueldo de ciento cincuenta francos al mes en la casa de comisión Dickson y Mantz, de Mincing Lane.

Mincing Lane es una callejuela de la City que tiene la especialidad de comerciar con géneros coloniales, té, café, azúcar, frutas secas y drogas.

En Londres subsisten calles con su especialidad correspondiente. Las antiguas calles han dejado su especialidad, y como recuerdo de ésta no queda más que el nombre indicando el comercio á que se dedicaban; así se ven la calle del Pan, de la Cerveza, de la Plata, del Oro, de la Miel; pero ni la del Pan vende hoy sólo pan, ni la de la Miel este dulce producto.

Actualmente, sin indicarlo en el nombre, las calles tienen también su especialidad, que se conserva con ese tesón con que los ingleses guardan sus costumbres. Así, Lombard Street es la calle de los banqueros; Fleet Street, de los

periódicos; Paternoster Row, de los libros de
piedad; Mark Lane, del trigo; Botolph Lane, de
las naranjas; Pudding Lane, de los frutos fres-
cos; la orilla de Southwark, de los almacenes de
patatas; Upper Thames Street, de los mármoles,
piedras y cementos y de los almacenes de hierro
y de cobre; Clerkenwell, de las relojerías y pla-
terías; Coleman Street, de la lana; Spitafields, de
las sederías; Houndsditch, de las ropas viejas;
New Road, de los trabajos en cinc; Lower Thames Street, de los grandes almacenes de carbón y
de la construcción de barcos.

Como estas calles, hay otras muchas que se
dedican casi exclusivamente á una clase de comercio.

En Mincing Lane no se compran ni se venden
más que coloniales, té, café, azúcar, cacao y
productos exóticos de las colonias inglesas, es-
pecias de las islas Célebes, de las Molucas y de
la Malasia; el eucaliptus, la ipecacuana, el acíbar,
la cochinilla, el índigo, la zarzaparrilla de la Ja-
maica. Cualquier comerciante que pusiera allí una
sastrería ó una tienda de quesos pasaría ante el
mundo comercial por un loco. Cada rama de comercio tiene en esta calle su lonja especial, y en
Mincing Lane hay, además del mercado de drogas, el del té y el de las plumas de avestruz.

HUNTER-HOUSE

La casa en donde se encontraba el despacho
de Dickson, Mantz y Compañía era enorme, sin
viviendas, de arriba á abajo dedicada al culto de

Mercurio, que los griegos con su perspicacia adjudicaron á medias entre los ladrones y los comerciantes. El edificio se llamaba Hunter-House, y en él no vivía nadie.

En la casa había un gran número de escaleras y de ascensores, y en cada piso se contaban diez ó doce despachos. Al comienzo de los corredores se leían los nombres de todos los comerciantes establecidos en los despachos de cada pasillo.

El día que llegó María á la casa se perdió y tuvo que preguntar varias veces hasta dar con las oficinas de Dickson y Mantz.

Al abrir la puerta del despacho se encontró con que los empleados estaban ya trabajando. La recibió un hombre de unos cuarenta años, alto, rubio, impasible, que le dijo :

— Se ha retrasado usted cinco minutos.

— Sí, es verdad; me he confundido y he andado perdida por los pasillos de la casa.

— Está bien; éste es su puesto. Si no ha traído usted mangas para escribir, aquí tiene usted unas.

Se sentó donde le indicaron, delante de una mesa ocupada por una máquina de escribir, y señalando unas cuantas cartas manuscritas, preguntó :

— ¿Es esto lo que hay que copiar?

— Sí.

— ¿Y el señor Mantz?

— No vendrá más que por la tarde. ¿Tiene usted algo que decirle?

— No, nada.

Comenzó á topiar las cartas en la máquina,

teniendo cuidado de no equivocarse. La mayoría de las cartas eran de pocas líneas, y tardó poco en copiarlas.

— ¿Ha acabado usted ya? — le preguntó un joven muy elegante.

— Sí.

El joven tomó las cartas copiadas y las llevó á la firma. María descansó un momento.

El cuarto donde estaba era una sala larga, con dos grandes ventanas de guillotina, cada una de cuatro cristales y los dos bajos esmerilados. Delante de las ventanas, sentados en bancos altos, escribían tres jóvenes. Apartados de ellos, en otra mesa, un señor viejo, calvo y de bigote corto, y una muchacha pálida, con anteojos de plata, iban haciendo cuentas. En dos armarios arrimados á la pared, se veían cajas de todas clases, drogas, frascos y botes de conserva. Extendidas en tableros había también pieles de mono con sus precios correspondientes, y un colmillo de elefante.

La otra sala era del director y en ella brillaba el fuego de una chimenea de carbón de piedra. Esta diferencia entre los dependientes, que sin duda no tenían derecho á sentir el frío, y el principal, indignó á María, pero se guardó muy bien de expresar su indignación.

Á la hora del almuerzo, María preguntó á la muchacha de los anteojos de plata en dónde almorzaba, pero la otra se le quedó mirando con una expresión de asombro y de estupidez tan grandes, que María no quiso preguntarle nada más. Uno de los jóvenes empleados le dijo que si quería le acompañaría á su restaurant, pero por si acaso esto era considerado como impropio, ella dió las gracias y dijo que no.

Salió á la calle, entró en una pastelería y volvió en seguida á la oficina. Viéndolo vacío, se metió en el cuarto del director; poco después entró un chiquillo con un uniforme lleno de botones, se sentó cerca de la chimenea y habló con María. Ella le dió un trozo de pastel y se hicieron amigos.

LOS TEJADOS

Desde la ventana del cuarto del director se veía un gran panorama formado por casas negras, tejados negros, torres, cornisas, grandes veletas, letreros dorados, y un entrecruzamiento de hilos de telégrafos y de teléfonos bastante tupido para obscurecer un día claro y convertir en crepuscular una tarde como aquella obscura y de cielo ceniciento.

Sobre una torre se destacaba un gallo negro subido encima de una bola, un gallo petulante y orgulloso, con el pico tan abierto que la abertura de la boca le llegaba hasta los ojos. Aquel gallo descarado parecía reirse á carcajadas desde su altura al ver un mundo tan lleno de complicaciones como el que se desarrollaba á sus pies.

Todo este panorama de tejados daba una impresión de grandeza y de melancolía. De vez en cuando se aclaraba el cielo y luego comenzaba á llover y se oía el ruido del agua que caía de los canalones. Transcurrida la hora del almuerzo, el *botones* le advirtió á María que iban á llegar el principal y los empleados, y el chiquillo y ella

salieron del despacho. Comenzaron á oirse pasos
por el corredor; poco después se presentaron los
dependientes, el jefe y el señor Mantz en la oficina.

Allí la idea de categoría lo regía todo. Mantz y
Dickson gastaban sombrero de copa, fumaban y
tenían lumbre en el cuarto; los dependientes llevaban sombrero hongo, no fumaban y, sin duda,
no estaban autorizados para tener frío.

Cuando sonó la hora de marchase, María
respiró como si le quitaran un peso de encima,
cerró la máquina de escribir, se despojó de las
mangas, se puso el sombrero y bajó las escaleras
á saltos. En la calle tomó el primer ómnibus que
encontró, y llegó á casa.

Natalia estaba inquieta con su tardanza; no se
figuraba que desde el primer día comenzara á
trabajar. Le contó lo pasado y ella la colmó de
atenciones como á un chico que vuelve por primera vez de la escuela, le ayudó á mudarse de
ropa y la acarició como si fuera una niña.

Tan pronto se sentía la rusa maternal con
María, como María con ella, pero con más frecuencia era la española la más juiciosa y prudente aunque no la más zalamera.

Aquella tarde, después de volver del trabajo,
fué para María uno de los momentos agradables
de su vida; en el comedor, sobre la mesa, hervía
el samovar, chisporroteaba el carbón en la chimenea, y lloviznaba en la calle silenciosa y negra;
se sentaron Natalia, la pequeña Macha y María,
tomaron el té, y por la noche fueron á los Tres
Peces.

CAPITULO VII

LA MUJER ENTRE CRISTALES

MUCHAS veces al pasar por una de esas calles viscosas de Londres que parecen solamente buenas para una humanidad anfibia, se ve por una gran ventana de cristal en una tienda muy ordenada y muy limpia una muchacha que recorre con sus dedos de rosa el teclado de una máquina de escribir.

El paseante curioso se detiene, y al lado de algún vagabundo sucio y desarrapado ó de algún dandy peripuesto, mira á la gentil muchacha y espera que deje por un momento su teclado y que vuelva la cabeza para verla y contemplarla á su sabor.

Y ella indiferente, sin querer repartir entre los curiosos la limosna de su mirada, sigue en su faena con el tric trac de su máquina.

Al cabo de algún tiempo se levanta con unas cartas en la mano, sale, y al volver se la ve de frente.

Es rubia, joven, esbelta, viste de negro, tiene una indumentaria algo masculina, cuello planchado y puños blancos y relucientes. No hace un

ademán de fastidio ni de cansancio; lo que pasa
por delante de la ventana no la conmueve ni la
distrae; su trabajo es tranquilo y seguro. Muchos
ojos la contemplan desde la calle fangosa. Ella
desdeña este homenaje de admiración y muestra
al público su nuca rubia y sigue trabajando. Si-
mónides el samiota la creería hija de una abeja.
¡ Oh, no hay miedo de que caiga en la curiosidad!
Sabe la historia de su amiga, que fué á buscar
fortuna en el fangal de la calle y que encontró la
tristeza y la deshonra; sabe que todos esos hombres que la miran desde fuera, los de las barbas
largas, los de las narices rojas por el alcohol y
los trajes mugrientos, han naufragado por curiosidades malsanas, por no abordar cara á cara las
cosas.

Hay arbustos que han nacido al borde del torrente; las aguas tumultuosas los atacan, descar-
nan sus raíces, pero ellos se agarran con firmeza
á la tierra, y en la primavera tienen el supremo
lujo de echar florecillas. Así esta mujer abeja, en
medio del fango de la gran ciudad, trabaja todo
el día y desafía las aguas turbias del torrente
como esos arbolillos heroicos.

¡ Oh, mecanógrafa admirable de nuca rubia y
de puños blancos! Nosotros quisiéramos verte
libre del tric trac de tu máquina. Nosotros quisiéramos verte, no en tu despacho trabajando, ni
los domingos en un chiribitil leyendo novelas de
miss Braddon, sino reclinada en tu coche en los
grandes parques llenos de verdura y de silencio.

Tú mereces seguramente, no el trovador em-
palogoso que te compare con la Luna, sino el

hombre fuerte que sea como el clásico delfín que lleva á las sirenas en sus lomos desafiando las tempestades á esas tierras lejanas, á esos promontorios poéticos donde el amor tiene su reinado.

Pero el hombre delfín no viene, y sólo se acerca á ti con sus feos ofrecimientos este estúpido burgués viejo y lascivo como un mono, ese venerable señor, montaña de carne podrida, coronada con la nieve de las canas, ó ese seboso y repugnante judío que quiere comprarte con una migaja del botín que ha conseguido hundiendo las uñas en los bolsillos de los desdichados.

¡ Oh mujer ! ¡ Oh adorable sirena ! Nuestra sociedad es bastante bestia para tener encarceladas en sitios lóbregos y obscuros á elegantes rubias, á graciosas morenas, á lo más bonito y perfilado de la humanidad. ¡ Y á esto los sabios y los periodistas llaman progreso !

Es triste, es imbécil, pero hay que trabajar con el tric trac de la máquina. El delfín humano no viene, y parece que tampoco viene la Social...

... Y mientras tanto vosotros, correcalles intrépidos, vagabundos de ciudades anfibias, simpáticos granujas, teneis en esa mujer que teclea en su máquina de escribir el espectáculo de la virtud, de esa virtud que á vosotros ¡ oh hermanos en la gran fraternidad del barro y del asfalto ! os parece, sin duda, una cosa ridícula y despreciable.

CAPITULO VIII

LOS ATAREADOS

COMENZABAN María y Natalia á encontrarse ya en disposición de no necesitar ir á casa del señor Jonás, pero el viejo, encariñado con la hija de Natalia, pedía que fueran a hacerle compañía todas las noches. Iturrioz también simpatizaba con el patriarca de las cañas de pescar y tenía con él largas conversaciones.

En los días siguientes la vida de María se regularizó; iba al despacho á las nueve y salía á las cinco; para almorzar encontró un fonducho barato cerca de Mincing Lane, un rincón interesante, constituído por las últimas capas sociales del mundo de los negocios. El público era allí muy curioso : bolsistas arruinados, zurupetos, jóvenes judíos que comenzaban la carrera del millón, de aspecto y gesticulaciones de mono, viejos bohemios vencidos en la lucha por el oro, á los que quedaba como resto de ilusión para seguir viviendo, la perspectiva de una especulación fantásticamente feliz.

Todos estos hombres comían de prisa con una avidez repulsiva. Allí John Bull parecía que debía llenarse mejor John Bull-dog. Se hubiera dicho

que aquellos tipos eran perros lanzados sobre
una presa. Hasta miraban á los lados como si
tuvieran miedo de que les quitasen el bocado;
luego salían volando á sus negocios.

En general, la mayoría de aquella gente, en vez
de andar por las calles anchas, tomaba para acor-
tar el camino por los callejones antiguos de la
City y por los pasadizos particulares que comu-
nicaban una calle con otra. Estos pasajes, en las
horas de ir y venir de los escritorios, parecían
sendas hechas por hormigas; los hombres vestidos de negro y de sombrero de copa marchaban
rápidos con la cartera en la mano; los mozos de
las oficinas y los grooms corrían dándose reca-
dos unos á otros; todo el mundo huía á sus quehaceres sin cuidarse para nada del vecino.

María no se encontraba muy á gusto entre esta
gente, pero hizo esfuerzos inimaginables para dominar su disgusto. En el despacho de Dickson,
Mantz y Compañia, todos estaban cortados por
el patrón general de frialdad y compostura; no
se oía una frase amable, de interés; cada cual
parecía tener especial empeño en demostrar que
la vida del compañero que escribía á su lado le
era tan indiferente como las cajas de raíz de ipecacuana ó las pieles de mono puestas de muestra
en los armarios.

EL SEÑOR FRY

Entre esta gente seca y áspera que consideraba
al vecino como un enemigo y un rival, que tenía
la emoción como una debilidad ridícula y gro-

tesca; entre estos jóvenes individualistas que as-
piraban á la voluptuosidad de ser amos, y amos
implacables, había una excepción, y era el señor
viejo que hacía cuentas en una mesa en compañía de una señorita que llevaba anteojos de plata. Este señor viejo, llamado James Fry, era todo
lo contrario de estos jóvenes fríos, duros y correctos; él era entusiasta, blando de corazón y
fogoso. James Fry era un hombre alto, huesudo,
de cara larga algo caballuna, de pelo rojizo, pies
y manos grandes, calvo, de pecho hundido y bigote
corto. Los dependientes del despacho le trataban
mal porque este viejo se preocupaba de los demás
y era sentimental y efusivo. Esto les parecía á los
otros una debilidad senil y ridícula, digna de desprecio.

Fry era un romántico, de esos hombres disuel-
tos por el sentimentalismo, que los convierte
pronto en un harapo; tenía una voz rota y una
mirada de una infinita tristeza. Á María se le ofre-
ció tímidamente para todo lo que necesitase, y
María comprendió que aquel hombre era, además
de una gran bondad, de una rectitud absoluta.
Este pobre señor Fry, como le llamaban en el
despacho, le dió lástima. Contaba que no le había pasado nunca nada y comenzaba á no tener
esperanza y á ver la vida tristemente.

El hubiese querido vivir para los demás, ser
galante, ser heroico, defender al débil contra el
fuerte; pero nunca había tenido ocasión de hacerlo, ni imaginación para soñarlo. Así que el pobre
señor Fry era desgraciado.

Una vez Dickson le preguntó qué hacía, en qué

se divertía los domingos y los días de fiesta, y Fry le contestó que cuando no hacía buen tiempo para salir tocaba la flauta en su casa, lo que hizo reir al patrón á carcajadas.

El señor Fry confesaba que sus aptitudes para comprender la armonía eran muy escasas y que sólo gozaba de la melodía.

Fry tenía escrito un poema, pero esta confesión se la hizo á María después de muchas recomendaciones para que no dijera nada, porque el hombre sospechaba que tener un poema era algo así como tener un cáncer.

DICKSON SE HUMANIZA

Al mes de oficina, al pagar á los empleados, Dickson preguntó á María :

— ¿Está usted contenta en casa?

— Sí, señor; muy contenta.

— Me alegro. Si quiere usted, la llevaré á la Bolsa de Coloniales, en donde podrá almorzar por poco dinero.

Aceptó ella el ofrecimiento, y Dickson añadió :

— Bueno, pues á la hora del almuerzo la llevaré á usted allí.

Efectivamente, á las doce salieron los dos, bajaron á la calle y entraron en un edificio próximo, á cuya puerta había grupos de gente vestida de negro y sin sombrero. Era la Bolsa de Coloniales. Dickson le advirtió que la consigna del portero era no dejar pasar á ningún extraño á la casa; pero yendo con él no había cuidado. Efectivamente, el portero no les dijo nada. Dickson

mostró á María el salón del azúcar y el del café,
donde ellos tenían sus corros, y le enseñó también varios telégrafos que iban dando constantemente noticias de todo el mundo, intercaladas con
el precio del azúcar, del café y del te, en los mer-
cados de Europa y América.

— ¿Qué le parece á usted, miss Aracil? ¿Eh?
— preguntó Dickson.

— Muy bien.

La verdad es que no encontraba en aquello
nada extraordinario. Abajo estaba el bar y fueron á él. Tenía éste un mostrador muy alto, que
era el mismo tiempo mesa, y que trazaba varias
curvas en forma de S, lo que le daba una largura
grande y permitía que pudieran acercarse á comer
muchas personas. En este bar, y sentados en
bancos altos, había una fila de hombres vestidos
de negro, la mayoría con el sombrero puesto.
Algunos señores, serios y graves, andaban en la
cocina con un plato en la mano izquierda y un
tenedor en la derecha, eligiendo lo que iban á
comer, cosa que allí no parecía ridícula.

Á algunos de ellos María los conocía de ha-
berlos visto en los pasillos de la casa. Dickson
se dirigió á un rincón é invitó á María á sentarse
entre él y el señor Fry. Luego el jefe la presentó
á una de las señoritas del bar; dijo á ésta que su
empleada iría todos los días á comer y que le
rogaba que la atendiera; á lo cual ella contestó
que lo haría con gusto.

El almuerzo le costó á María unos cuantos peniques. Cuando terminó se levantó, y Dickson le
dijo :

— Yo voy á quedarme aquí.

Volvió María al despacho.

Ya iba organizando su vida. La mañana era para ella lo mas desagradable ; la despertaba el ruido de los carros que iban á Covent Garden y el grito de los vendedores de leche. Como su cuarto no tenía contraventanas, entraba en él la primera claridad del día. Luego sentía el ruido de los pasos de mistress Padmore que colocaba la marmita de leche en el pestillo de la puerta, y pensaba : — Ya es hora — y haciendo un gran esfuerzo se levantaba, almorzaba y salía á la calle. Esperaba en Shaftesbury Avenue, cerca de un señor que predicaba en la calle, á que viniera el omnibus, montaba en él y bajaba á la entrada de Mincing Lane. Los sábados tenía un descanso mayor que el cotidiano, llamado fin de semana, y que consistía en dejar el trabajo á las dos. La tarde entera del sábado libre, daba al descanso más extensión y lo hacía muy agradable.

En general, los sábados Natalia y María iban á casa de Wanda á pasar con ella un día entero; otras veces se quedaban en Londres, y en compañía de Iturrioz correteaban de noche por las calles populares entre los puestos iluminados donde tocaban los organillos y pululaba la multitud.

Algunos domingos estuvo en casa de María Vladimir, siempre elocuente y siempre revolucionario, y también iba con frecuencia la rubia Betsy, la criada del hotel en donde pararon por primera vez en Londres Aracil su hija.

María había cruzado varias cartas con su padre; al principio no le contaba más que triunfos, banquetes, recibimientos y agasajos; pero por el tono de las últimas cartas se le veía ya descontento y hablando con sorna de los guachinanguitos, que eran, según él, una verdadera canalla salvaje.

Iturrioz le dijo :

— Ese antes de un año abandona á la mujer y se vuelve. Has hecho muy bien en no ir allá. Aquello no es nada. Hay que afirmar la doctrina de Monroe : América para los americanos.

Aracil, desde el momento que supo la salida de María del colegio de Kensington, comenzó á enviarle todos los meses quinientos francos. Ella hubiera podido dejar el empleo y vivir con este dinero, pero no quiso, fué á casa del banquero en donde tenía depositadas las doscientas libras de su madrastra y le dió orden de que fuera acumulando el capital con los quinientos francos mensuales. Pensaba María que si iba á España y no tenía con qué vivir, con aquel dinero pondría aunque fuese una tiendecilla.

Le resultaba heroica su decisión de no dejar el empleo, porque el ir á la oficina no tenía para ella nada de agradable. No se acostumbraba á estar tantas horas, quieta y encerrada, ni al frío, ni á la gente adusta y poco comunicativa.

Dickson se humanizaba con ella algo; el ser compañeros de restaurant había creado entre ambos cierta confianza, una confianza muy ligera, que no llegaba á la menor familiaridad.

María encontraba á Dickson seco, duro, antipático; pero se guardaba muy bien de manifestárselo. Llegó á soñar muchas veces que la amenazaba y la reñía, y el espanto le duraba hasta después de despierta, y tenía que hacer un esfuerzo para decidirse á ir al despacho.

UNA RUINA ESPAÑOLA

Un día fué á la oficina un viejo á preguntar por el jefe. Era un tipo de bohemio cansado, derrotado, con los ojos tiernos y la sonrisa de borracho.

Venía, según dijo, á proponer un negocio de España. Le preguntó á María por el jefe y le dijo que él era español, y hablaron con este motivo un momento en castellano. Luego salió Dickson de su cuarto, y al ver al bohemio, sin oirle, sin dejarle hablar una palabra, le despidió brutalmente.

María se sintió indignada y ofendida por un proceder tan bestial; pero, como era lógico, no se atrevió á decir nada, ni á hacer el menor comentario. Durante el almuerzo, preguntó á Dickson:

— ¿Quién era ese viejo español que ha estado hoy en el despacho?

— Es un canalla — contestó Dickson:

— ¿Le ha hecho á usted algo?

— Sí; otra vez vino á hablarme de unos inventos que había hecho; de un aparato que llamaba el Pendulador, y de una pila seca. Todo resultó mentira. Es un embustero, un farsante.

Á María le parecía que ser un embustero y un farsante era mala cosa, pero tenía también por

una bestialidad muy grande tratar á un viejo
como Dickson había tratado á aquel pobre hombre.

Á la salida, María se encontró con el viejo
español, acompañado de un chico, y le acompa-
ñaron los dos hasta casa, sin más objeto que pe-
dirle una limosna.

Era este bohemio un hombre alto, flaco, con el
bigote blanco, raído y la nariz roja. Tenía esa
tendencia á arquearse de todos los vagabundos
y hambrientos, vestía un gabán claro y hablaba
de una manera enfática, accionando con sus brazos largos, que parecían embarazarle. Se pintó
como un pobre hombre de mala suerte; tenía, según dijo, el título de licenciado en Ciencias, pero
nunca le había servido para nada. Continuamente
postergado, trabajando sin gusto, había vivido,
hasta que un día la casualidad le puso en manos
de un minero andaluz que le tomó de secretario
y le llevó á Londres.

— ¿Y por qué no vuelve usted á España? —
le preguntó María.

— ¡ Oh, no ! Aquello es peor todavía. Allí es imposible vivir.

Y manifestaba un convencimiento tal de que
vivir en España y ser español era una desgracia
irremediable, que María quedó entristecida y mal
impresionada. El hombre habló luego de su Pendulador, de un Aviador que estaba estudiando y
de una cerradura especial, que de ésta sí esperaba sacar mucho dinero para dedicarlo á sus grandes inventos que le darían gloria. María le dió al
desdichado un par de chelines que llevaba en el
portamonedas y se fué á su casa.

Á los pocos días volvió el hombre á pedir, y
María tuvo que decirle que ella ganaba muy poco
y que no podía darle más. Dickson averiguó que
le había dado algún dinero, y se rió de su empleada.

Las ideas de Dickson indignaban á María, y
sus risas y carcajadas le hacían estremecer. Alguna vez, cuando el tiempo estaba muy negro y
muy feo, él la preguntaba con sorna :

— No estará el tiempo así en España, ¿eh?

— No, seguramente que no.

— Yo no he visto España ni Italia — añadía
Dickson, — pero sé que aunque las viera no me
gustarían tanto como la City...¡ Ja... ja... ja...!

— Pero esto es tan triste, tan negro...

— Pues eso es lo que á mí me gusta... Días
fríos, de niebla... Dicen que un poeta inglés ha
dicho que el infierno es una ciudad que se parece mucho á Londres...¡ Ja... ja... ja...! Los poetas
no dicen más que majaderías... Á mí éste es un infierno que me gusta. ¡Ya lo creo...! ¡Ja... ja...
ja...!

Á María le indignaba esta risa de Dickson; era
de lo más brutal, descortés y bárbara.

Alguna que otra vez Dickson se mostró casi
galante con ella. Al llegar á casa y al contarle á
Natalia las galanterías de su principal, la rusa
decía cómicamente.

— ¡Ah, traidora; le estás engañando á ese
hombre; le estás haciendo víctima de tu mansa
coquetería !

— ¡Oh, no lo creas! — contestaba María; —
aunque quisiera coquetear con él me sería imposible.

— ¡ El Mediodía ! ¡ El Mediodía ! — murmuraba
Natalia. — ¡ Qué falsas debeis ser todas las españolas !

— No digas eso, que no es verdad.

— ¡ Oh, sí ! ¡ Ya lo creo !

Y las dos se echaban á reir.

LOS ESCLAVOS DEL VIEJO ÍDOLO

Una mañana el señor Dickson le dijo á María :

— Necesitaría que fuera usted á los Docks de
Santa Catalina para hablar con un capitán de
barco español; ¿quiere usted?

— Sí, señor.

— Fry la acompañará.

Dickson dió sus instrucciones á María y á Fry,
les dijo que tomaran un coche y que no volvie-
ran hasta la tarde.

Tomaron el coche, pasaron por Lower Thames Street, en donde Fry mandó parar, delante
de una casa de comercio, cerca del Mercado de
Billingsgate. Fry bajó á hacer un encargo. Desde el coche podía ver María la calle llena de
gente; una larga fila de cargadores con cajas de
pescado á la espalda, iban uno tras otro como
hormigas.

De esta casa de comercio, avanzando un poco
en la calle, entraron en los Docks de Santa Catalina. Buscaron al capitán con quien María tenía
que explicarse, y tuvo ella la sorpresa de encontrarlo en un extremo del muelle hablando con
Iturrioz y con un hombre grueso.

— ¡Caramba! ¿Tú aquí? — exclamó Iturrioz. — Señores, les advierto á ustedes que esta señorita es toda una heroína.

El capitán del barco y el hombre gordo saludaron, y María se echó á reir.

— Este hombre — siguió diciendo Iturrioz, señalando al gordo — es mi principal, comerciante en fruta y valenciano; es un mediterráneo de estos intrigantes y peligrosos. Yo cuando le veo me abrocho el chaleco, y aun así tengo miedo de que los pocos peniques que guardo se escapen y vayan á sus bolsillos.

— Gracias por el retrato — dijo riendo el aludido.

María trasladó al capitán las indicaciones de su principal. Fry tenía que ir á los London-Docks y no quería dejar á María allí. Iturrioz dijo :

— Ahora nuestro amigo el capitán arreglará esto, y como María y este señor van á los Docks de Londres, yo les acompaño.

— Si, se puede usted ir — dijo el capitán á María ; — dentro de una hora estará todo listo.

Iturrioz, María y James Fry salieron de los Docks de Santa Catalina y tomaron á pie hacia los de Londres.

Había en la calle un amontonamiento de carros atravesados, entrecruzados; otros pasaban haciendo un estrépito horrible; en las paredes negras de las casas no se veía más que el subir y bajar de cajas y barriles izados por las grúas. El ambiente era sofocante; la niebla, el humo, la tibieza del aire, el suelo negro y encharcado, todo, daba la impresión de un presidio en donde una humanidad triste gimiera condenada á trabajos forzados.

— Estos son los esclavos del viejo ídolo — dijo Iturrioz.

— ¿Y cuál es el viejo ídolo? — preguntó María.

— ¿Cuál ha de ser? El comercio. El comercio ha vivido siempre en buena armonía con la esclavitud, y hoy como ayer sigue teniendo esclavos, y los tendrá mañana. La verdad es — añadió luego — que es mucho más interesante en un pueblo la manera de ganar que la de gastar. El trabajo es múltiple, complicado, lleno de variaciones; en cambio las necesidades son iguales en casi todos los hombres. Respecto al vicio, es sencillamente estúpido; todos los días hay un trabajo nuevo que necesita nueva atención; en cambio, desde hace veinte ó treinta mil años no se ha inventado un vicio nuevo, lo que no impide que esos pobres románticos de la vida inquieta se crean hoy más viciosos que los de ayer y se creerán los de mañana más viciosos que los de hoy.

—Amén — dijo María. — Es un buen sermón para llevarnos por el camino de la virtud.

— No tienes necesidad de tomarlo como artículo de fe.

Fry preguntó á María qué es lo que acababa de decir Iturrioz, y María le tradujo las frases del doctor. Fry escuchó atentamente y luego añadió que sentía mucho no saber español, porque, indudablemente, hablando con Iturrioz, debía aprenderse mucho.

LOS DOCKS

Dieron vuelta por detrás de la Torre de Londres y llegaron á la puerta de los London-Docks. Iturrioz, Fry y María entraron.

Fueron á lo largo de uno de los muelles de los Docks, donde trabajaban una porción de hombres de todas castas, blancos, negros, amarillos, tipos morenos con los ojos brillantes y tipos rubios pálidos, con aire boreal.

En aquel rápido paseo, lo que más le chocó á María fué la violencia de los olores, que venían por ráfagas. Aquí se encontraba envuelta en una atmósfera de olor de canela; luego el olor del azúcar llegaba á irritar la garganta; después se nadaba en un aroma de vino generoso, y en casi todas partes, como acompañando á estos olores violentos que daban la nota aguda, había un olor mezcla de petróleo y de humo de carbón de piedra que constituía la nota sorda. De un extremo de un muelle aparecieron unos cuantos hombres que sin duda acababan de descargar sacos de añil, porque traían las caras y las ropas azules.

Llegaron Iturrioz, Fry y María á una especie de plazoleta llena de barricas donde unos toneleros componían los toneles rotos y ejecutaban al hacer esto una sinfonía de martillazos ; otros iban arrastrando cubas vacías que sonaban en el suelo como tambores.

Entró Fry en una casa de ladrillo y esperaron María é Iturrioz fuera. Iturrioz tenía curiosidad de ver el depósito de colmillos de elefante que había allí, el mayor del mundo entero. Preguntó á un empleado en dónde se hallaba este depósito, y mientras María aguardaba á Fry, Iturrioz se metió por entre barricas y apareció poco después con el traje manchado de cal y sin haber visto nada.

No tardó mucho en despachar Fry y volvieron á los Docks de Santa Catalina, en donde el frutero y el capitán español les convidaron á Jerez con bizcochos.

— ¿Y aquí es donde desembarcan todos los buques? — preguntó María.

— No, todos no — dijo Iturrioz. Hay otros Docks.

— ¿Y hay almacenes en estos Docks?

— Todos son almacenes; ¿no ves?

— ¿Pero de aquí llevarán los géneros á los almacenes del interior del pueblo?

— No — dijo Iturrioz; — todo queda en los Docks. En Londres hay almacenes para el consumo diario ó semanal ó mensual; pero los grandes almacenes sólo de una cosa están aquí. Los buques llegan, desembarcan, y los cargamentos quedan depositados en estos sitios.

— ¿Y ustedes vigilan la descarga?

— No; los comerciantes tienen un talón y no ven siquiera el género que reciben. Escriben á casa desde Valencia, desde Nápoles ó desde donde sea : « El barco tal lleva mil barricas de vino ó mil cajas de naranjas para usted. » Se reciben en los Docks, y los Docks le avisan á uno : « Hemos recibido mil barricas ó mil cajas para usted. » ¿Que vende uno quinientas? Pues se da un talón al comprador para que las recoja en los Docks.

— ¿Pero se pueden confundir y cambiar? — dijo María.

— ¡Ca! — replicó Iturrioz. — No se confunden los géneros en una estación y menos en los Docks, en donde cada remesa es enorme. Y no creas que aquí acaban las operaciones, no; después de la venta y de que el comprador retira su género hay todavía muchas cosas que hacer. El comprador no da al comerciante que le vende un género oro ó billetes, sino un cheque contra un Banco. El Banco que tiene un cheque de éste y dos del otro y cuatro del de más allá, unos á pagar, otros á cobrar, manda á un empleado, que suele llevar una cartera de cuero atada á la cintura por una cadena, á una casa que se llama Casa de Aclaración. En esta Casa de Aclaración se hace un cómputo de lo que tiene que pagar uno y de lo que tiene que cobrar otro, y la diferencia á favor ó en contra se expresa en cheques contra el Banco de Londres, y en este Banco no tienen que hacer más que subir la columna del haber del banquero Tal, y bajar la del banquero Cual. Así resulta que una operación de éstas se hace sin sacar una peseta del bolsillo, y mientras tanto se ha arruinado una comarca entera.

— ¡Muy bien! — dijo el frutero riendo. — ¿Qué le parece á usted, si se explica mi empleado, eh? — preguntó á María el valenciano.

— Sí, la teoría parece que la conoce — contestó ella; — la cuestión es si sabe aprovecharla.

— ¡Hum! Creo que no. No persigue al dinero. No le tiene cariño.

— ¡Yo cariño al dinero! — exclamó Iturrioz—

No. Es que el dinero es una inmoralidad. No hay
agua tofana ni veneno de los Borgias tan ponzoñoso como esos redondeles de oro. Mientras
no se suprima el dinero no habrá paz en el mundo.

Como los demás se reían, Fry quiso que María
le tradujese lo dicho por Iturrioz, y al oirlo, moviendo la cabeza afirmó de nuevo gravemente que
sentía mucho no entender el español... Luego Fry
y María tomaron un coche, y volvieron á la Bolsa
de Coloniales. La calle estaba libre y el cab marchó como una exhalación.

CAPÍTULO IX

EL JARDÍN DE SAINT GILES IN THE FIELDS

HAY un jardín en la iglesia de San Gil, antiguo
cementerio, á juzgar por las tumbas hundidas en
la hierba. Este jardín, metido entre altas casas
negras, tiene la entrada por High Street y la salida por un pasadizo que termina en New Compton Street.

En el jardín de San Gil, sobre la hierba fresca
y verde, entre los árboles, en sepúlcros antiguos
con inscripciones, duermen algunos apreciables
difuntos, y en los bancos se sientan y descansan
hombres y mujeres decrépitos, casi tan muertos
como los otros, vagabundos harapientos, cuyos
instintos de libertad les hacen encontrar preferible
la vida en la intemperie, en la niebla, en las inclemencias de la atmósfera, á la uniformidad y disciplina de un asilo.

El mundo no ha sido hecho para estos hombres, ni los palacios ni los jardines; para ellos sólo
se han hecho la Policía y las cárceles, la estopa que
deshacen con las manos en los presidios y la estopa
que se ciñe á veces á sus cuellos en forma de
cuerda.

Pero estos desdichados tienen que resignarse; en una sociedad petulante que, porque de cuando en cuando exalta á un charlatán, á una tiple ó á un soldado de suerte, ya se figura ser justa, tienen que convencerse, de grado ó por fuerza, de que si no han prosperado ha sido siempre por defectos suyos y nunca por culpa de la máquina social.

Estos hombres son tan viejos, tan caducos, que parece que van á terminar su existencia desarticulándose, deshaciéndose en pedazos y guardándolos ellos mismos cuidadosamente en los viejos sepulcros. Las mujeres, ya no tienen forma humana, se encorvan y parece que la cabeza les sale del vientre; sus mejillas son terrosas, sus ojos hinchados, los párpados violáceos. Estas mujeres quizás fueron graciosas y bellas, hoy no tienen expresión, y si la tienen es la astucia de la zorra, el hambre del lobo, la ferocidad de la hiena ó el furor de la serpiente.

Tales horribles y melancólicos seres, envueltos en sus harapos, en sus gabanes viejos, en sus toquillas rotas, cubiertos con sus sombreros destrozados, descansan de la fatiga de vivir sin esperar nada de nadie, mirando á la tierra húmeda, crasa por la substancia orgánica, que les acogerá pronto en su seno.

Allí, alguno come algo que lleva envuelto en un periódico, otro se cura los llagados pies, una vieja remienda un harapo y otra acaricia á un gato que corre y salta sobre la hierba del viejo cementerio.

TIPOS EXTRAÑOS

Muchos días Iturrioz iba á sentarse á este jardín y contemplar tan extraños tipos.

Por la mañana y por la tarde, unos cuantos de aquellos vagabundos, sentados en un banco, charlaban misteriosamente. ¿Qué hacían? ¿Qué eran? Esto le preocupaba al buen doctor.

Uno de ellos era un hombre alto, flaco, con patillas y cara lacrimosa; daba la impresión de que se iba á romper por la cintura, andaba con dificultad, encorvado, apoyado en un bastón, y su cara producía risa y miedo. Los chicos se burlaban de él y él los amenazaba con el palo.

Otro de los tipos de la reunión era un borracho joven, casi albino, con la cara abultada y rojiza y el bigote plateado. Aquel tipo boreal debía tener poca afición al trabajo, porque constantemente vagabundeaba por el jardín ó por sus alrededores, cuando no se le veía en una taberna de Arthur Street, siempre sonriendo, con la pipa en los labios, las manos en los bolsillos del pantalón y el traje tan arrugado, que parecía hecho á propósito. Un día Natalia fué con Iturrioz á este jardín; el doctor le había dicho que allí encontraría tipos interesantes para sus dibujos, y el borracho albino siguió á Natalia sonriendo hasta que se alejó de ella saludándola con gran finura. Desde entonces Natalia solía preguntar burlonamente :

— ¿Qué hará mi prometido?

El Inventor, llamado así por Iturrioz, punto fuerte en la tertulia, era un hombre de unos cincuenta años, perilla negra, melenas encrespadas, levitón largo y mirada sombría. Llevaba siempre el cuello de su gabán subido y varios paquetes de periódicos en los bolsillos. Solía hablar imperiosamente y hacía con frecuencia dibujos en la arena del jardín. Iturrioz trataba de comprender qué es lo que inventaba el que él había calificado de inventor, pero no daba con ello. Muchas veces, por la mañana, María, al ir á su despacho, solía verle cerca de una fuente y dar cubos de agua á los carreteros; pero esto, que cualquier otro lo hubiera hecho con sencillez, él lo hacía imperiosamente con un ademán de indiferencia y de desprecio para todo el género humano.

El Pensativo, otro de los socios, era hombre sombrío, fuerte, robusto, de bigote negro. Solía sentarse un momento en el jardín de Saint Giles, oía lo que decían los otros, fumando su pipa, mirando á la tierra, ó al cielo, y poco después se marchaba.

Había también otro hombre con la nariz tapada con un trapo blanco untado con ungüento; pero éste era sólo repulsivo y no debía tener importancia en la reunión.

EL HOMBRE DEL OJO DE CELULOIDE

De todos estos tipos que se congregaban en el antiguo cementerio de Saint Giles in the Fields, ninguno de aspecto tan terrible como el hombre del ojo de celuloide. Era éste un tipo extraordinario, alto, enfundado en un levitón grande con botones de metal, pañuelo de hierbas en el cuello, bastón corto y nudoso en la mano y aire continuo de mal humor. Tenía el hombre la cara cobriza y llena de cicatrices, la barba rala, las cejas salientes, el pelo gris y un ojo vacío y oculto con un trozo redondo de celuloide pintado, sujeto con una cinta, y el otro hundido, negro y brillante. Parecía aquel hombre alto y derecho, un viejo buitre sin plumas, una fiera encadenada, huraña y terrible. La áspera miseria le había roído hasta los huesos, no le quedaba más que la presencia y el orgullo.

Este viejo alto solía andar con mucha frecuencia con un enano pequeño, de cara sonriente y arrugada como una manzana.

Un día estaba Iturrioz leyendo un periódico madrileño, sentado en uno de los bancos del jardín, cuando se le acercó un viejecito y se sentó junto á él.

— ¿Es usted español, verdad? — le dijo.

— Sí.

— Yo también. Yo me llamo Maldonado. Le conozco á usted porque algunas veces voy á casa de Jonás, que me socorre.

— ¿Á los Tres Peces?

— Sí.

Maldonado quería saber qué hacía Iturrioz en el jardín, y cuando éste le dijo que iba allá por curiosidad, Maldonado pareció tranquilizarse.

Maldonado era un hombrecito de unos sesenta años, muy derrotado y flaco. Contó á Iturrioz una larga serie de miserias sufridas por él alegremente. Tipo de otra época, aventurero y andariego, Maldonado había recorrido todo el mundo y contaba una porción de aventuras y desdichas con una sonrisa de irónica resignación. Un moderno sociólogo hubiera dicho que estaba loco. Estos sociólogos han resuelto que sólo el hombre rumiante es un hombre cuerdo.

Maldonado, muy cuidadoso, buscaba la manera de presentarse decente, y aunque toda su ropa estuviese ajada y llena de remiendos, llevaba su cuello y su corbata, y disimulaba la miseria lo mejor que podía. Era triste y melindroso como un gato viejo. Según dijo, había sido rico, pero calavera sin decisión alguna, y parte por mala suerte y parte por abandono, llegó á la mayor miseria.

Había recorrido á pie casi toda la América. Su existencia había sido una continua aventura. Desde vivir como un millonario hasta formar parte de un rancho de indios y comer carne humana, todo lo conocía. Había trabajado en los Docks de Amberes y de Buenos Aires; había frecuentado los fumaderos de opio de Singapore, los bars de Hong-Kong y las tabernas de la Habana. De toda esta vida aventurera recordaba historias y anécdotas extraordinarias, pero al contarlas les daba un carácter de vulgaridad asombroso.

Estaban hablando Maldonado é Iturrioz, cuando se les acercó el hombre alto del ojo de celuloide.

— Este es mi socio — dijo Maldonado sonriendo.

El hombre de la venda miró á Maldonado de una manera imperativa, y Maldonado se levantó.

— ¿Adónde van ustedes ahora? — le preguntó Iturrioz.

— Vamos á una taberna de Endell Street, esquina á Long Acre, en donde nos reunimos algunos amigos. ¿Qué, quiere usted venir?

— Bueno.

Á Iturrioz le llamaba la atención el hombre del ojo de celuloide y tenía curiosidad por averiguar quién era. Salieron del jardín de Saint Giles in the Fields y fueron los tres andando. El de la venda no hablaba; rara vez hacía una observación en inglés en tono de mando y Maldonado asentía, pero luego se reía por lo bajo.

Mientras caminaban á la próxima calle Endell Street, Maldonado contó que la taberna adonde iban había sido de un socialista notable llamado John Mann. El socialismo ha tenido en todos los países sajones y anglo-sajones una gran relación con la cerveza. John Mann solía hablar con frecuencia en Hyde Park de la Revolución social y de las consecuencias terribles del alcoholismo, lo que no fué obstáculo para que con el dinero de las colectas pusiera una taberna en donde daba á sus amigos y partidarios la más socialista de las cervezas de todo el Reino Unido. John Mann un día se aburrió de Londres y de su doble personalidad de socialista abstemio y de publicano, y se marchó á la Australia.

Ilustrado por las explicaciones de Maldonado, entró Iturrioz con él y con el hombre alto y misterioso en la taberna, pidieron tres vasos de cer-

veza, y al separarse un momento el de la venda,
Iturrioz preguntó á Maldonado :

— ¿Quién es este tipo?

— Es un indio. Un antiguo gran jefe de los
Pieles Rojas.

— ¿De veras?

— Sí, sí. Ha vivido junto al Gran Lago Salado.
Era tanto como un rey, pero esos canallas de
yanquis le robaron sus territorios y sus minas.

— ¿Y usted, de dónde le conoce?

— ¡Oh, yo le conocí en Sierra Nevada, en la
California ! Formábamos parte de una expedición
minera dirigida por un escocés, y nos perdimos
en el camino. En la confusión que produjo el saber que estábamos perdidos, unos se rebelaron
contra el que dirigía la caravana y nombraron jefe
á este indio. Yo le seguí, y tras de muchas peripecias nos salvamos; la otra parte de la expedición
desapareció, y se dijo después que tuvieron que
comerse unos á otros.

— ¿Y cómo se llama este indio?

— Tiene en su lengua un nombre raro, pero
nosotros le llamamos el jefe y también Arapahú.

— ¿Y ese hombre pequeño, casi enano, de la
cara sonriente?

— Ese es el clown Little Chip, un hombre que
ha tenido sus triunfos y su fama y á quien le
arruinaron unas jugadas de Bolsa.

— ¿Y qué hace aquí en Londres Arapahú?

— Nada. Como yo.

— ¿Y de qué viven ustedes?

— ¡ Pse !

— Pero ustedes traman algo cuando se reúnen tanto.

— Hablamos de política y de anarquismo — dijo sonriendo Maldonado.

— ¿Son ustedes anarquistas?

— Sí.

— ¿Todos?

— Todos.

— ¿Y el indio es también anarquista?

— ¡Ya lo creo! Ese es el jefe.

Arapahú llamó imperiosamente á Maldonado, y éste dejó á Iturrioz para reunirse con su compinche.

CAPÍTULO X

LA CASA DEL JUDÍO

EL comerciante de cuadros de Soho Square para quien trabajada Natalia, era un judío amigo de Jonás Pinhas, de origen también español, que se llamaba Santos Toledano.

Al saber que Natalia vivía con una española y que ésta era la fugada de Madrid con motivo de la bomba, Toledano invitó á Natalia y á María á que fuesen el sábado á tomar el té á su casa.

Santos Toledano vivía en Longfellow Road, más allá de Whitechapel, cerca del canal del Regente.

Por la tarde, después de almorzar y de dar un paseo, tomaron María y Natalia un ómnibus en Southampton Row, y dando una vuelta larguísima bajaron en Mile End, cerca del canal. Encontraron pronto la calle. La casa del vendedor de cuadros era una casa de ladrillo negro, con la pared combada y recubierta de pizarra desde el segundo piso y una batería de chimeneas rojas en el tejado.

Llamó Natalia y salió á abrirles una muchacha

morena que les hizo pasar á un salón en donde
se encontraban Toledano, su mujer, su hija y algunas otras personas. Á María le chocó mucho ver
allí al viejo Maldonado, aunque no tan raído como
de ordinario.

Santos Toledano dijo varias veces á María que
él era de origen español. Tenía este judío la nariz corva, los labios gruesos, el pelo ensortijado,
el tipo oriental. Era un hombre blando, grasiento
y repulsivo. Á pesar de su amabilidad, á María
le produjo una impresión desagradable.

Su hija era una muchacha de diez y siete á diez
y ocho años, afligida con una gordura fofa, de
ojos negros y de tez muy blanca.

Santos presentó á María y á Natalia á las personas reunidas en la sala. Entre éstas había una
judía polaca, de pelo rojo, verdaderamente preciosa, y un jovencito español con su padre. Les
hicieron todos un recibimiento muy obsequioso,
y María tuvo que contar por centésima vez los
detalles de su fuga.

La mujer de Toledano, una vieja de mirada
negra é inquieta, conservaba, á juzgar por sus palabras, un gran rencor por España; había leído,
ó había llegado hasta ella por tradición, la historia de las persecuciones y tropelías cometidas por
los españoles contra los judíos, y tenía á España
como la enemiga nata de Israel, el pueblo elegido
por Dios.

— Afortunadamente — le dijo á María varias
veces, — Israel ha triunfado y España se ha hundido para siempre.

María contempló con curiosidad á esta harpía semita, y aun comprendiendo que su odio estaba justificado, le pareció muy antipática.

Luego, un joven afeitado, también de aire corvino, sometió á María á un completo interrogatorio. Le preguntó si los españoles aceptarían ya á los judíos, si les permitirían dirigir la política, si había verdadero fanatismo en España. María contestó un poco caprichosamente á estas cuestiones contradiciéndose á cada paso, y viéndole Natalia mareada con tanta pregunta, vino á sacarla del apuro diciéndole que Toledano quería enseñarles sus cuadros.

María se levantó, y en compañía de Natalia, de Toledano y de la polaca rubia subió al piso alto. El comerciante en cuadros quería enseñar alguna de sus marvillas. Guardaba allá, según dijo, unos tres mil cuadros, entre lienzos y tablas antiguos, la mayoría sin valor, pero algunos buenos; tenía además joyas de iglesia, casullas, cálices, libros viejos, incunables, frontales, miniaturas, relicarios, tapices y una porción de riquezas de todas clases.

Toledano empujó una puerta forrada de hierro y pasaron á un desván muy grande lleno de polvo, iluminado por una lámpara eléctrica.

Natalia abrió una de las ventanas. Había en el desván pilas de cuadros puestos unos encima de otros. En los rincones se veían amontonados santos pintados de oro, mayólicas, niños Jesús con faldetas de abalorios, barcos, grabados. Lo que más estimaba Toledano, según dijo, eran dos tablas flamencas : una un Juicio final, y la otra un Bautismo de Cristo. Las dos les parecieron á María y á Natalia admirables.

El Bautismo de Cristo enra precioso. Había un paisaje cruzado por el Jordán realmente encantador; un río azul corría entre grandes rocas blancas; en las orillas crecían las hierbas; en una arboleda charlaban sentados unos pastores, y en el fondo, sobre un extenso panorama de montañas azules, se extendía un cielo lleno de nubes rosadas.

Por las explicaciones de Toledano se veía que tenía un conocimiento profundo del arte cristiano; los símbolos, las cuestiones de técnica de pintura, de escultura, de esmaltes, la manera de falsificar, todo esto la conocía á fondo. Vieron otros cuadros, estatuas y joyas que guardaba el judío, y mientras colocaba todo en su lugar, Natalia se llevó á María al hueco de la ventana.

VISTA DEL CANAL DEL REGENTE

Abajo, al pie de la casa, corría el canal del Regente con su agua verdosa y negruzca, y se hundían en él unas cuantas gabarras, amarradas á la orilla, cargadas de madera. De los patios de las casas próximas bajaban algunas escaleras de hierro y de cuerda hasta el mismo borde del agua; aquí y allá se levantaban palos como los mástiles de un buque : unos adornados con banderas y gallardetes triangulares; otros con una veleta en la punta.

El canal corría encerrado en paredes altas, cruzado á trechos por algunos puentecillos de madera; después pasaba rasando el muelle de una fundición, cuya gran chimenea de ladrillo echaba nubes espesas de humo negro. Cerca de esta fundición, el canal se ensanchaba, embalsándose el agua, y luego huía hacia el horizonte y parecía una cinta de plata bajo el cielo gris.

De cuando en cuando pasaba una gabarra tirada por un caballo que marchaba lentamente por el camino de la orilla. En la barca, un hombre al timón fumaba impasible, y á popa una mujer cocinaba en un hornillo portátil, mientras un chiquillo rubio y descalzo corría de un lado á otro gritando y hablando solo.

Toledano se acercó también á la ventana.

— Por este canal se puede ir hasta Liverpool — dijo.

— ¿De veras? — preguntó María.

— Sí. Esto comunica el Támesis con el mar de Irlanda. Sale del depósito de Limehouse, pasa bordeando el Jardín Zoológico, y termina en el canal de Paddington. Una de las cosas que traen por aquí son las fieras del Jardín Zoológico. Mi mujer tuvo una vez un susto terrible al oir á poca distancia los rugidos de un león.

Toledano encendió la luz, cerró la ventana de hierro que había abierto Natalia y luego la puerta.

— ¿Toma usted precauciones? — dijo Natalia riendo.

— Es que muchas de las cosas que hay aquí no son mías — contestó el judío.

UN PRINCIPE RUSO, UN VIAJERO ARMENIO Y UN SIRIO

Era la hora del té, y María, Natalia, la polaca
rubia y Toledano bajaron al comedor.

En su ausencia había aumentado la tertulia con
varias personas, entre ellas Vladimir Ovolenski,
que las saludó muy afablemente. Estaba Vladimir
con un amigo suyo, pequeño, de largas barbas y
de extraño tipo.

— Es el príncipe Nekraxin — dijo la polaca
rubia señalándole. — Un nihilista.

Si era príncipe aquel señor, no tenía facha de
ello; más parecía un ropavejero ó alguna cosa por
el estilo. La único que chocaba en él eran los ojos,
grises, penetrantes, que tenían una movilidad y
una extraña suspicacia.

Se sentaron á la mesa todos á tomar el té, y llevó
la conversación un joven sirio del monte Tabor.
Era maronita y volvía de América. Explicó, con
gran complacencia de los judíos, cómo los norte-
americanos habían comprado las aguas del Jordán
y cómo las vendían en América para los bautizos.

Luego, dirigiéndose á María, le dijo :

— Si fuera usted á América á exhibirse en los
teatros y á contar su fuga, podría usted ganar un
platal.

— Aunque me dieran millones no aceptaría una
exhibición así.

Algunos de los jóvenes judíos encontraron ab-
surdos estos reparos. Luego otro de los contertu-
lios habló irónicamente de sus trabajos. Este se-

ñor, de unos cincuenta años, era un armenio que
había viajado por todo el mundo y sabía siete ú
ocho idiomas. Era un tipo respetable, de barba
gris, con una calva que parecía la tonsura de un
fraile. Este armenio había hecho su fortuna sa-
cando planos de las ciudades turcas, cosa pro-
hibida en el país, y vendiéndolos á Inglaterra. El
hombre iba con su podómetro midiendo distan-
cias de calles, plazas y caminos, hasta que hacía
un plano y lo vendía en Londres.

— ¿Y si lo hubieran cogido á usted? — le preguntó la judía polaca.

— Pues me hubieran matado á palos — contestó el armenio jovialmente.

Después la conversación giró acerca de las ideas
socialistas; todos ó casi todos los reunidos eran
partidarios de estas doctrinas, especialmente los
judíos. Vladimir habló del movimiento sindica-
lista, con gran elocuencia, y fué escuchado en silencio.

Mientras tanto, el príncipe hojeaba unas guías
comerciales rápidamente.

María, por curiosidad, pasó por detrás de él
con el pretexto de asomarse á la ventana, y le
chocó ver las páginas de la guía que el príncipe
consultaba, llenas de llamadas y cruces hechas
con tinta azul y roja.

EL BARRIO DEL DESTRIPADOR

Era ya tarde, y María y Natalia se dispusieron
á volver á casa. Salieron, y Vladimir, dejando al

príncipe y el jovencito español á su padre, se
brindaron á acompañarlas.

— Si no han visto ustedes este barrio de noche
— dijo Vladimir, — y si tienen tiempo, podemos
ir á pie hasta Adgate.

— Bueno.

Pasando por entre callejuelas próximas al canal, desembocaron en una calle ancha, continua-
ción de Whitechapel Road, y comenzaron á subir
una cuesta hasta el hospital de Londres. Era
sábado, y Whitechapel tenía aire de día de fiesta.
En la ancha calle por donde iban, un gran bulevar
convertido en mercado al aire libre, había filas
de puestos ambulantes, de carritos y de tenderetes
iluminados con lámparas humeantes de nafta. Las
carnicerías y fruterías mostraban sus escaparates
brillantes y repletos. La gente entraba en estas
tiendas sin duda á hacer provisiones para el domingo, día en que todo está cerrado en Londres.

Se andaba por las aceras pisando papeles y pros-
pectos; los bars rebosaban; los consumidores hacían cola hasta la calle; en los tenduchos, en las
pequeñas casas de comidas, se oía hablar ruso,
polaco y alemán.

— Este no es un barrio inglés — dijo el jovencito español, — sino un barrio de judíos de todas
las nacionalidades.

Muchas casas de banca y tiendas de ropas os-
tentaban letreros escritos en hebreo, y en las tras-
tiendas se veían mujeres gordas, morenas, con
los ojos negros y rasgados, y alguna que otra niña
rubia de mirada viva y perfil aguileño.

Las familias de obreros, el hombre de chaqué, la mujer de sombrero, con los chicos de la mano, discurrían por este bulevar tranquilas, cachazudas, deteniéndose en las tiendas. Por el centro de la calle pasaban sin parar ómnibus y tranvías-automóviles.

Vladimir hablaba de la miseria de Londres, siempre creciente, de los medios que se habían ideado para extinguirla, de los ciento cincuenta mil hombres sin trabajo que había en la ciudad, de los progresos del maquinismo, que iba arrojando todos los días obreros y obreros á la calle; Natalia y María escuchaban, y el jovencito español iba junto á ellos sin decir nada. ¿Qué quería? No lo dijo y no se lo preguntaron.

Á medida que subían hacia Adgate, la animación era mayor; de las tabernas salían mujeres viejas, haraposas, borrachas, dando traspiés; una, de palidez lívida y ojeras violáceas, pasó junto á ellos tratando de sostenerse en las paredes; al ir á entrar en un bar le faltó el pie y cayó de bruces la cara contra la acera. Natalia y Vladimir se inclinaron, la incorporaron y la dejaron apoyada en la pared.

Algunas madres jóvenes dejaban por un momento el cochecito del niño en la puerta de la taberna y salían con el vaso lleno de cerveza ó de whiskey en la mano.

— ¿Qué, se atreven ustedes á entrar? — preguntó Vladimir delante de una taberna.

— Sí, vamos — dijo Natalia.

Entraron en un bar que tenía á la puerta un enorme farol sostenido por un brazo de hierro

que lanzaba haces de luz de todos colores. Era un
sitio largo y estrecho, adornado por carteles de
circo, con un mostrador alto.

Detrás del mostrador unas cuantas señoritas
llenaban los vasos haciendo funcionar unas pa-
lancas niqueladas, y los parroquianos formaban
una multitud de obreros y de mujeres borrachas.

Tenían todos un aire de ansiedad y de embru-
tecimiento; había tipos muy graves, muy serios,
y algunas muchachas rubias, casi todas de pelo
rojo amarillento, reían á carcajadas. En la puerta,
una música tocaba la Marsellesa y un negro cantaba, gritaba y gesticulaba en medio de la gente.

Vladimir recordó á los mujicks de Rusia que,
según dijo, dormían borrachos sobre la nieve con
una temperatura de veinte grados bajo cero.

— Esta gente, como aquélla — añadió, — se
deja llevar por la vida de una manera brutal.

— Quizás sea lo mejor — repuso Natalia.

— Viven al día — dijo Vladimir, — gastan lo
que tienen y no ahorran. Al menos el cuidado
del porvenir no les martiriza.

— Yo les admiro — exclamó Natalia con ve-
hemencia; — ¿y tú, María?

— Yo, á pesar de tus entusiasmos, creo que hay
que pensar en el porvenir.

— ¡Oh, qué española más juiciosa tengo por
amiga ! — dijo burlonamente Natalia.

— Tiene razón — replicó Vladimir. — Esta
gente bebe por desesperación, por falta de ideal.
Sería mucho mejor para ellos que se trazaran un
camino, ahora que en el estado en que viven, pre-

ocuparse del porvenir sería para ellos un suplicio nuevo.

Salieron del bar María, Natalia, Vladimir y el jovencito español, y siguieron andando.

Se acercaban á la parte alta de Whitechapel, el gentío y el bullicio eran cada vez mayores; en este bulevar grande, entre el ruido de los tranvías tocaban los organillos, y algunas muchachitas unas delante de otras bailaban en la acera el baile inglés; los charlatanes, los sacamuelas, los joyeros ambulantes peroraban anunciando ungüentos, libros, lentes, joyas, sindetikón y cuadernos. Algunos mendigos entonaban canciones tristes. Un hombre mostraba un pequeño cosmorama colocado sobre un trípode, que representaba la antigua cárcel de Newgate y que tenía este letrero sugestivo y siniestro : « Las Tragedias de Whitechapel. » Por un penique se tenía derecho á mirar por varios agujeros y á ver representados el crimen, la fuga, la detención, la prisión y la ejecución del criminal por el plebeyo y poco distinguido procedimiento de la horca.

Pasaron por delante de un teatro popular y de algunas barracas en donde se vendían objetos de baratillo anunciados por gramófonos chillones.

En las callejuelas adyacentes á Whitechapel Road, en algunas casas de comidas, angostas, sucias y obscuras, comían vagabundos harapientos en escudillas de palo sentados delante de unas mesas de madera; de trecho en trecho, á un lado de la calle, la mirada se hundía en callejones negros, con un arco á la entrada. En el fondo, un farol sujeto á la pared iluminaba el empedrado

húmedo, y á su vaga luz se veían unas paredes
roñosas con ventanas pequeñas y una moza bravía
vestida de claro que esperaba en un portal.

Algunas de estas calles eran estrechísimas, de
paredes altas, y tenían á cierta altura vigas de
hierro de un lado á otro. Un olor fuerte á ácido
fénico se desprendía de estos rincones; á veces se
veía venir por la estrecha acera una mujer gorda
con un sombrero de paja en la cabeza, tambaleándose, ó dos ó tres hombres entontecidos, con la
pipa en la boca, que pasaban cantando, haciendo
sonar al mismo tiempo las pesadas suelas de sus
zapatos.

— Es la canción de Darby y Joan — dijo Vladimir, poniendo atención en lo que cantaba una
voz en la obscuridad.

— ¿Y qué es esa canción? — preguntó Natalia.

— Son dos viejos obreros que en premio de
pasar la vida trabajando van á morir á un asilo.

— ¡Vaya una canción para animarse! — exclamó María.

— Ya vendrá la Social — repuso Natalia — y
entonces se arreglará todo.

— Por aquí andaría Jack el Destripador — dijo
Vladimir.

— ¿Sí?

— En todo este barrio se encontraron mujeres muertas por él. Aquí mismo, á mano derecha,
enfrente de London Hospital, en una callejuela
llamada Bucks Row se encontró una; en una calle
que corre detrás del teatro éste, que creo que se
llama Pavilion, en Hambury Street, otra; y aparecieron más mujeres muertas un poco más lejos,

en Commercial Street, y en una calle que la cruza, Wentworth Street; y otra se encontró hacia los Docks de Londres en un sitio próximo á la línea del tren en Pinchin Street, cerca de Well Close Square, un rincón donde se celebra un mercado de ropas que se llama Rag Fair, la feria del Andrajo. Conozco bien estos barrios porque teníamos ahí un compañero en un comerciante de objetos de Náutica, de Cable Street.

— ¿Y no se supo nada de esos crímenes?— preguntó Natalia.

— Nada; unos decían si sería algún cirujano loco de London Hospital; otros que algún marinero.

— ¿Y por qué un marinero?

— Por la periodicidad de los crímenes.

Los sitios aquéllos eran ciertamente poco tranquilizadores.

— Vamos — murmuró María, á quien la conversación y el lugar no agradaban.

— Sí, vamos — añadió Natalia.

Pasaron por delante de una fragua abierta en un agujero negro de la calle. Danzaban los obreros delante de las llamas con un aspecto fantástico.

La verdad es que toda aquella vida de Whitechapel palpitante y tumultuosa, brutal y dolorida, desarrollada entre el barro, el humo de las fábricas, las infecciones, el alcohol, las conservas podridas; esta gusanera iluminada por días pálidos y reverberos de gas, con sus sábados de bacanal y sus crímenes sensacionales, no sólo tenía atractivo, sino un atractivo poderoso y fuerte.

Volvieron á tomar la gran avenida de Whitechapel. En Aldgate iban á subir al ómnibus, cuando Vladimir detuvo á Natalia y comenzó á hablarle en ruso. María escuchaba sin enterarse de nada, y el jovencito español manifestaba en su semblante una gran desconfianza. Después de una larga plática, Vladimir les estrechó la mano á las dos y al llegar el ómnibus se fué.

EL VENGADOR

Montaron las dos en el coche y el jovencito subió también; iba María á preguntar á Natalia qué le había dicho Vladimir, pero al ver al joven moscón se calló. Al comienzo de Oxford Street, bajaron las dos y el jovencito bajó tras ellas. María, asombrada, se detuvo, y encarándose con él, le dijo en castellano :

— Pero, bueno, usted ¿qué quiere?

— Quiero ver al padre de usted.

— ¿Á mi padre?

— Sí.

— ¿Para qué?

— Porque soy anarquista y tengo que vengar la traición que hizo á Nilo Brull.

La sorpresa paralizó á María; luego, á pesar del tono trágico, se echo á reir, y la risa turbó por completo al joven vengador.

— Pues mire usted — le dijo, — será difícil que encuentre usted á mi padre.

— ¿Por qué?

— Porque está en América.

— ¿En América?

— Sí.

— Le buscaré. Soy el vengador de Brull.

— No sea usted majadero. ¡Qué le ha de buscar usted! Vamos, Natalia.

Siguieron las dos su camino, y el joven quedó parado sin saber qué hacer.

Cuando volvieron la cabeza, todavía el jovencito continuaba inmóvil y perplejo.

Al entrar en casa, Natalia exclamó sofocada :

— ¿Sabes lo que me ha dicho Vladimir?

— ¿Qué?

— Que Toledano y su mujer son confidentes de la Policía, y que probablemente estaremos ya las dos inscritas como terroristas de peligro.

— ¿De veras?

— Sí; y no es eso lo peor, sino que á ese pobre viejo español que tú conoces, y que es amigo de Iturrioz, le han hecho que envíe por correo unas bombas á España y á Italia.

— ¿Á Maldonado?

— Sí.

— Habría que advertirle, porque es posible que él no sepa nada. ¿Y cómo Vladimir va también ahí?

— Porque resulta que Toledano y su mujer, al mismo tiempo que confidentes de la Policía, son agentes anarquistas que saben las señas y la manera de comunicarse de todos los revolucionarios del mundo.

— ¡Ah, por eso les he visto yo á Vladimir y á ese príncipe ruso buscando señas en una guía llena de cruces y de rayas!

— ¡ Vete á saber qué es lo que se traerán entre manos !

— Algo tenebroso.

— Con seguridad; pero Vladimir no quiere que nos comprometamos, me ha recomendado que no vayamos á casa de Toledano.

Se prometieron no volver más á casa del judío, y estuvieron charlando hasta bien entrada la noche.

CAPÍTULO XI

EL PROYECTO DEL CAPITÁN BLACK

Unos días después contaba María á Iturrioz lo dicho por Vladimir respecto á Maldonado, y el doctor fué á buscar á su viejo y harapiento amigo al jardín de Saint Giles in the Fields.

— ¿Á usted le han entregado unos paquetes para llevarlos al correo? — le preguntó.

— Sí.

— ¿Toledano el comerciante de cuadros?

— Sí. ¿Cómo lo ha averiguado usted?

— Todo se averigua. ¿Y usted sabe lo que iba dentro de esos paquetes?

— ¡Qué sé yo!

— Pues bombas de dinamita.

— Sí, eso han dicho — replicó Maldonado sonriendo.

— ¡Pero eso es un crimen!

— Sí. ¡Claro!... ¡Je... je!...

— ¿Y adónde envió usted esos paquetes?

— Uno á Italia y otro á España.

— ¿Y le han dado á usted dinero?

— Sí, ¡ya lo creo! Ahora tengo el riñón bien cubierto. Y la verdad, no sé qué hacer con este

dinero, porque, como estoy acostumbrado á vivir
sin él...

Iturrioz trató de convencer al viejo de que enviar bombas era una barbaridad; pero Maldonado
consideraba estas cosas como insignificantes, y
le parecía que todo el mundo pensaba que morir
de una manera ó de otra no tenía importancia.

— Pues es una barbaridad que le puede cos-
tar á usted que le ahorquen — dijo el doctor.

— ¿Usted cree...? — preguntó el viejecillo con
indiferencia.

— Sin duda.

— Pues tenemos otro proyecto mejor — dijo
de pronto Maldonado.

— ¿Algún otro disparate?

— Es una idea magnífica del capitán Black.

— ¿Y quién es el capitán Black?

— Este de la reunión que hace rayas en el suelo.

— ¡Ah, sí; uno que yo le llamo el Pensativo!

— Ese debe ser. El pobre hombre ha salido de
la cárcel, en donde se ha hartado de darle á la
rueda, y se va á dedicar á hacer moneda falsa.

— Un bonito oficio.

— ¡Pse! ¡Claro! Vale más tener acciones del
Banco de Inglaterra.

— ¿Y qué es lo que ha pensado el capitán
Black?

— Pues entre él y un amigo suyo, que es un
mecánico, querían hacer una gran caja de cau-
dales con un aparato de relojería.

— ¿Y eso para qué?

— La caja iría cargada con dinamita y la depo-
sitaríamos en el Banco de Londres. La maqui-

naria de relojería estaría preparada para que á la noche siguiente estallara; nosotros esperíamos, y cuando el Banco saltara por los aires, nos lanzaríamos al saqueo.

— ¡ Demonio ! Es una idea.

— La habíamos perfeccionado hasta tal punto, que unos segundos antes de la explosión, un fonógrafo que iría en el aparato gritaría : ¡ Viva la Anarquía !

— ¡ Hombre ! Eso ya me parece excesivo — dijo Iturrioz.

— Era un proyecto muy bonito. Creo que hubiéramos eclipsado las glorias de Guy Fawkes — añadió Maldonado riendo.

— No sé quién es ese Guy Fawkes — dijo Iturrioz.

— Pues es un héroe popular; un hombre que parece que hace muchos años quiso hacer saltar el Parlamento de Londres. Creo que era un católico, y todos los años por noviembre los chicos hacen una fiesta en honor de Guy.

— Pues sí que era una idea la de ustedes.

— La mejor; porque es lo que ha dicho el capitán Black — prosiguió Maldonado: — ¿qué importan los reyes y los ministros? El sostén de la sociedad es el dinero, y ahí es donde hay que atacar.

— El dinero y la ciudad es lo que hay que suprimir — murmuró Iturrioz. — ¿Y Arapahú sería de la partida?

— Ese es el jefe. Además avisaríamos á todos los obreros sin trabajo para que vinieran á saquear el Banco.

8

— Pues aquí tienen ustedes uno — dijo Iturrioz.

—Todavía no se puede hacer nada, porque no hay bastante dinero. Parece que esto cuesta muy caro.

Maldonado sentía que una idea tan bonita no se pudiese realizar. Hubiera empleado con mucho gusto su pequeño caudal en colaborar en la magna obra del capitán Black.

CÓMO MALDONADO GASTÓ EL DINERO DE LAS BOMBAS

Á Maldonado le pesaban las libras que le había dado Toledano, y quería emplearlas pronto. Al acercarse Navidad, una noche se presentó el viejecillo en casa de María y le dijo que deseaba hablarle. Ella, que sabía cómo las gastaba Maldonado, se dispuso á oir una barbaridad, pero el deseo del viejo era completamente infantil; pretendía que le permitiera poner un nacimiento en su cuarto.

— ¿En mi cuarto?

— Sí. Como yo en mi rincón no puedo...

— Bueno; no tengo inconveniente.

María aprovechó la coyuntura para reñirle. Le dijo que se había enterado del envío de las bombas á España, y añadió que si volvía á hacerlo, ella misma le denunciaba para que le metiesen en la cárcel. Maldonado escuchó atentamente como si le hiciese efecto la reprimenda. Después, en vista de la facilidad con que había obtenido el permiso para instalar el nacimiento en el cuarto, le pidió que le dejara trabajar allí mismo.

— Me va usted á pedir hasta los zapatos — dijo María.

— ¿No quiere usted?

— Mientras estoy en la oficina le dejo que trabaje usted aquí; pero cuando yo vuelva tiene que estar todo limpio y en su sitio.

Maldonado lo prometió así, y efectivamente, al volver María de su oficina no veía un papel en el suelo, ni una mancha de barro en la alfombra. Maldonado estaba en su elemento. Compró cartulina y fué dibujando figuritas, que luego iluminaba, recortaba y ponía un sostén para mantenerlas derechas.

La gran colaboradora del viejo fué la pequeña Macha. Los dos se pasaban las mañanas y las tardes trabajando en el nacimiento.

Maldonado, con unos aros de barrica, armó como la concha de un apuntador, y la forró de papel azul que llenó de estrellitas doradas. Debajo de esta bóveda celeste, el artista destacó en relieve los montes nevados por donde venían los reyes y los pastores, y al pie de la sierra construyó Belén con sus casas y su palacio de Herodes.

Natalia colaboró también en la obra, pintando algunas cosas, pero su colaboración no era solicitada por Maldonado, porque la pintora quería dar al paisaje un carácter artístico atendiendo á las leyes de la perspectiva, pretensión absolutamente absurda para Maldonado y para Macha.

Por el pueblo construído por el viejo y la niña marchaban toda clase de comerciantes, vendedores de pan y de pescado, mujeres con carritos de mano y una porción de gentes que convertían Belén en un pequeño Londres.

Aquí se veía el molino, allá la grúa, más allá el remolcador sobre el agua, imitada con un espejo rodeado de musgo.

En el sagrado portal, entre la vaca y el asno, dormía el niño Jesús, y sobre él, colgando de un cabello, se balanceaba en el aire un ángel con los brazos abiertos.

La niña y el viejo trabajaban con entusiasmo. María comprobaba todas las noches cómo iba aumentando el número de vendedores y de vendedoras de Belén hasta interceptar calles y plazas. El día de Nochebuena no tuvo más remedio que dejar su cuarto á los visitadores del nacimiento y trasladarse á otra habitación.

LA NOCHEBUENA

En la casa dispusieron que se cenara en el cuarto de María delante de la gran obra de Maldonado y Macha. La señora Padmore adornó las paredes con guirnaldas de laureles y yedras, y en medio, colgando del techo, colocó un ramaje de muérdago; engalanado el cuarto á la manera tradicional, la irlandesa se fué á preparar el *plum pudding,* que había de ser, después del nacimiento, la obra más transcendental de la Nochebuena.

Maldonado llevó á Arapahú y á Little Chip, el viejo clown, casi enano, amigo suyo, y además á un irlandés de la tertulia del jardín de Saint Giles. Sin duda le parecieron éstas las

únicas personas distinguidas de la reunión; estuvieron también Jonás, Iturrioz y su patrón el frutero valenciano, el cual trajo vino, pastas y frutas; míster Cobbs y su hijo se presentaron á ver
el nacimiento y á beber una copa, y mistress
Padmore apareció después de terminados sus
quehaceres; se sentó en la mesa y arremetió contra una botella de vino dulce traída por el frutero
valenciano, con tanto ímpetu, que la dejó vacía.
Sin duda esta sed inextinguible obligaba á decir
muchas veces á la buena irlandesa, que algunas
personas tenían la desgracia de dedicarse á la
bebida.

Hasta la media noche estuvieron allí celebrando la Nochebuena; por la calle pasaron algunos
chicos tocando panderos y castañuelas, y se oyó
también el ruido triste de un acordéon. El viejo
Jonás se reía viendo la obra de Maldonado. Little
Chip la miraba con cierto respeto, y el irlandés
y mistress Padmore, medio turbados por el vino
generoso, se acercaban al nacimiento y rezaban.

Luego Natalia y Macha cantaron en ruso, el
irlandés y mistress Padmore en céltico, Iturrioz
en vascuence y Arapahú, el jefe de los Pieles Rojas
del Gran Lago Salado, tocó el tambor con gran
solemnidad, como quien cumple un deber religioso.

CAPÍTULO XII

ILUSIÓN PRIMAVERAL

HAN pasado los meses negros con sus fríos, sus nieblas y sus barrizales, mejores para una especie anfibia que para una humanidad que anda sobre terreno sólido. El sol comienza á sentir ciertas veleidades de brillar en el cielo. Alguno que otro día, un disco pálido y acatarrado se presenta entre la bruma como la pupila lacrimosa de un viejo, y vuelve á ocultarse con un escalofrío de pánico al ver una tierra tan tebulosa y tan turbia. Este resplandor amarillento y anémico representa para los londinenses el sol primaveral, y llevados por la idea metafísica de la primavera, la gente se echa á la calle y comienzan á verse trajes claros y sombreros vaporosos. Al poco rato llueve ó graniza ó se levanta un vendaval terrible; pero la gente se queda con la dulce impresión de haber visto la primavera, aunque vestida todavía con el traje de invierno.

POR EL TEMPLE

María acudió durante varios meses con una puntualidad matemática al despacho. Su gran consuelo era vivir con Natalia y recibir las cartas de Venancio. Su padre le escribía en general descontento con su vida, le enviaba siempre los quinientos francos, y ella los iba depositando invariablemente en el Banco.

Algunos días Dickson le acompañó hasta casa, y una vez le dijo que sería para él una gran satisfacción si algún domingo le convidaba á tomar una taza de té. María no tuvo más remedio que invitarle á ir á casa. Natalia no sintió gran simpatía por el principal de su amiga, y le manifestó su sentimiento sin rodeos.

Un sábado por la tarde habían ido María y Natalia con la niña á hacer compras al Strand, cuando al salir de una tienda se encontraron con el señor Roche. Le saludaron, Roche preguntó á María por su padre, y ella contó lo que le había pasado, cómo trabajaba y dónde vivía

— Es usted un caso de valor, miss Aracil — dijo Roche.

— ¿Cree usted...?

— Juana de Arco á su lado me parece un niño de teta. ¿Hacia dónde van ustedes?

— Aquí cerca, á esa plaza con jardines, á que juegue la niña.

— Yo también voy por ahí.

María presentó á Roche á su amiga Natalia. Del Strand fueron por Kingsway hasta Lincoln's

Inn. Era ésta una gran plaza con altos árboles y
hierba, un verdadero parque dentro de la City.
Algunos niños jugaban en el suelo y viejos obreros descansaban en los bancos. En un kiosco del
centro de la plaza dormían grupos de vagabundos.

— Yo voy al Temple — dijo Roche. — ¿No
han estado ustedes nunca allá?

— No — contestó Natalia.

— ¿Y usted? — dijo á María.

— Creo que no.

— Pues acompáñenme ustedes. Yo tengo que
dejar una carta. Hay por ahí una serie de rincones muy agradables.

Cruzaron otra plazoleta con árboles, pasaron
por delante de una iglesia y de una capilla con
la cripta al descubierto, y entraron por una puerta en una calle estrecha con las tiendas cerra-
das, que, según dijo Roche, eran de libreros y
de fabricantes de pelucas para abogados; luego cruzaron Fleet Street y de aquí salieron al
Temple.

Era éste un conjunto de edificios pequeños y de
capillas que formaban una serie de plazoletas y de
callejones, desiertos en aquella hora. Se sentía
allí un gran silencio. De cuando en cuando se
oían las pisadas de alguna persona en un pasadizo; los gorriones saltaban en la hierba verde y
piaban entre el follaje.

— Este es un pueblo de abogados, un nido de
buitres — dijo Roche. — Á estas horas los paja-
rracos han levantado el vuelo.

Roche llamó en una puerta en cuyo dintel brillaba un azulejo con un cordero místico pintado

en azul con su banderita y su corona. Tras de
esperar algún tiempo abrió un empleado, á quien
Roche entregó su carta.

— Ahora estoy á su disposición — dijo á María
y á Natalia. — Si quieren ustedes veremos esto.

EL PATIO DE LA FUENTE

Charlando animadamente recorrieron aquellos
rincones de aspecto romántico. Era una soledad
y un silencio deliciosos los que allí reinaban. Se
atravesaba un pasadizo bajo, siniestro, á cuya
entrada y salida colgaba un farolón viejo, y se
desembocaba en una nueva plazoleta. Algunos
de estos patios se hallaban cubiertos de grandes
losas; en otros la hierba se extendía verde y brillante.

En todas partes reinaba idéntico silencio, el
mismo reposo de pueblo deshabitado.

En el interior de los archivos y salones llenos
de libros y de legajos se veía algún empleado
que cerraba las maderas de un balcón, sonaba
de cuando en cuando el ruido de una llave y se
sentía luego rumor de pasos.

En el ángulo de una de las plazas se levantaba una casa cubierta de lilas, y sus racimos de
flores moradas y azul-pálidas caían sobre la ho-
jarasca verde. Una pared alta, cubierta de hiedra,
mostraba un escudo de blasón antiguo, y en un
tejado se arrullaban dos palomas blancas.

Salieron á un espacio anchuroso en donde se
erguía una capilla gótica. Cerca del ábside, entre

la hierba húmeda, yacían algunas tumbas abiertas, y á un lado se levantaba un sepulcro de mármol con una estatua reclinada. Bordeando la capilla, desembocaron en un patio que tenía un surtidor en medio.

— ¡Oh, qué hermoso! — exclamó Natalia.

Y era verdad. Había allí, bajo la dulzura del cielo gris, un silencio lleno de placidez y de encanto. De la taza de piedra partía un hilo de agua muy alto y se deshacía al chocar en el borde del pilón; una paloma tornasolada se refrescaba mojándose las plumas, y los gorriones piaban picando en el suelo. Llegaban hasta aquel jardín, medio extinguidos por la distancia, los mil rumores confusos de la gran ciudad, y en este semisilencio el surtidor murmuraba con sus notas de cristal, y un pájaro escondido entre las ramas parecía contestarle.

Hablaron durante largo tiempo Natalia y María con el señor Roche, mientras la pequeña Macha jugaba en el suelo.

María preguntó á Roche por su mujer, y el escocés dijo que estaba haciendo gestiones para divorciarse.

— He venido al Temple precisamente para escribir á mi abogado por ese asunto — añadió.

— ¿No ha habido arreglo? — le dijo María.

— Era imposible.

— ¿No ha sido usted feliz? — le preguntó Natalia con gran interés.

— No — contestó sonriendo Roche; — yo hubiera vivido mejor si me hubiera casado con una irlandesa ó con una española.

— ¿Cree usted... ? — dijo María.

— Sí: La mujer española, más femenina que la inglesa, quiere en el hombre el espectador, la calma; la inglesa, con una individualidad más fuerte, busca en el hombre el actor, el héroe, y de ahí su entusiasmo por los tipos que considera excepcionales, y de ahí sus desilusiones. Creo la verdad : que las mujeres inglesas están más inclinadas á enamorarse por admiración, y las españolas por compasión.

— Sí, es posible — repuso María. — ¿Y qué le parece á usted mejor?

— ¡ Oh, mejor ! Eso es muy difícil saberlo, si es que hay algo mejor. La compasión me parece un sentimiento más cristiano; la admiración es más pagana. Compadecer, llorar, ver la vida como una cosa dramática, como un camino lleno de zarzas... Todo eso es muy español. Inglaterra es otra cosa. Yo creo, y esto no lo diría en voz alta, que éste es un país absolutamente anticristiano, en el fondo. Hay mujer aquí, la mayoría, que no ha llorado en su vida más que leyendo novelas, que se siente fuerte y que si comete una falta no tiene remordimiento alguno.

— ¿Y las rusas, qué le parecen á usted? — dijo entre risueña y turbada Natalia.

— ¡ Oh, la mujer rusa... ! Es como la ola...

— ¿Pérfida? — preguntó Natalia.

— Es lo inesperado... Pérfidas ó sinceras... lo inesperado. Una rusa es siempre superior á una mujer de Occidente cuando es buena y cuando es mala.

Natalia se ruborizó.

— La está usted confundiendo á mi amiga — dijo María.

— ¿Ah, pero es rusa?

— Sí.

— La hubiera tomado á usted por alemana... ó por finlandesa.

— Mi madre es de Finlandia—advirtió Natalia.

Del Patio de la Fuente pasaron al jardín del Temple, y cruzándolo salieron al muelle del Támesis. Era la hora del té y María tuvo que invitar á Roche á ir á casa, y Roche aceptó la invitación á gusto.

Estuvieron la tarde hablando, Natalia mostró á Roche sus dibujos, y el escocés se fué un poco antes de la hora de comer.

Natalia preguntó á María quién era Roche, y ella le dijo lo que sabía del escocés.

— Es muy simpático y debe ser muy bueno — dijo Natalia. Y de pronto, con toda naturalidad, exclamó :

— No sé si te escandalizarás, pero creo que me he enamorado de él.

— ¡ Bah !

— De veras te lo digo.

— Ya se te quitará.

CAPITULO XIII

NOCHE DE EMOCIONES

En los días siguientes le chocó á María encontrar á Natalia menos alegre que de ordinario. Estaba algo preocupada y melancólica.

— ¿Qué tienes? — le dijo varias veces.

— Nada. No tengo nada.

Un sábado, al volver del despacho, María se encontró á Roche hablando con Natalia. La rusa no manifestaba la tristeza de los días pasados; al revés, hablaba y reía, con el rostro animado y la mirada viva. El señor Roche saludó á María afablemente, y después le habló de un proyecto. Había pensado que les gustaría asistir á la representación de *Julio César,* de Shakespeare, que daban en el teatro His Majesty's, y tenía encargadas unas butacas.

— No tendrán ustedes ningún inconveniente...

— Yo preferiría no ir — dijo María.

— ¿Por qué? — preguntaron Natalia y Roche.

— Porque no tengo traje.

— No importa — replicó Roche.

— ¡ No ha de importar !

— Bueno; entonces lo que voy á hacer es cambiar las butacas por delanteras de la galería primera, desde donde se ve muy bien la función. Ahí no tienen ustedes necesidad de ir vestidas con elegancia. Tal como están, están bien.

María hubiera querido oponerse, pero no encontró pretexto serio, y tuvo que acceder.

Roche dijo que á las seis iría á recogerlas, comerían los tres en un restaurant, y á las ocho estarían en el teatro. María se metió en su cuarto. Poco después oyó la voz de Natalia, que llamaba á la puerta.

— ¿Puedo entrar? — dijo la rusa.
— Sí.

Natalia entró en el cuarto de su amiga con un aire trágico, miró atentamente á María, y dijo :
— ¿No te vistes?
— No.
— ¿Pero por qué no quieres ir?
— Porque no.
— ¿Es que te fastidia, ó tienes que hacer otra cosa?
— No tengo que hacer nada.
— Entonces, ¿por qué?
— Por ti.
— ¿Por mí?...
— Sí, por ti. Porque tú estás loca. ¿Qué va á decir ese hombre de ti? Hace dos días que le conoces, y le miras sin apartar la vista de él; y cuando te habla, te pones roja, y luego pálida... ¿Qué va á pensar ese hombre de ti? Ó que estás loca, ó que eres una perdida.

Natalia oía sin pestañear, como un niño delante de su maestro.

— Sí, eso va á pensar de ti — exclamó María; — y por eso creo que no debes ir al teatro.

— ¡ María ! — murmuró Natalia entre lágrimas.

— No debes ir.

Natalia, al oir esto, ocultó la cara entre las manos, y empezó á llorar frenéticamente.

— Te pegaría — le dijo María furiosa.

— Pues pégame, pégame si quieres — repuso la rusa llorando.

María, al final, no tuvo más remedio que calmar á Natalia y prometerle que la acompañaría á la función.

— ¿Y á tu niña la vas á dejar sola? — le preguntó.

— Quedará con la señora Padmore. Para las doce y media podemos estar en casa.

Natalia, que era zalamera, ayudó á María á vertirse, y á cada paso le decía :

— ¡ Pero qué guapa estás !

— Ya sé, ya sé por qué dices eso — contestaba María.

— No, no es verdad. Á tu lado voy á hacer un mal papel.

Á las seis llegó Roche; tomaron un cab, y fueron los tres á cenar á un gran restaurant, próximo á Piccadilly Circus.

EN EL RESTAURANT

Se detuvo el cab delante de una casa blanca iluminada por luces de arco voltaico. Bajaron los tres y un portero alto de gran librea les hizo pa-

sar al restaurant. Roche condujo á María y á
Natalia hasta el fondo, á una mesa iluminada
por dos candelabros con bujías de luz eléctrica
que tenían pantallas de color.

El encargado del restaurant llevó unos tabure-
tes para que pusieran los pies María y Natalia, y
luego casi rodeó la mesa con un biombo, de tal
manera que les apartaba del resto de la gente y
daba á su reunión mayor intimidad. Después
sacó un cuaderno y escribió el menú encargado por
Roche.

— No gaste usted mucho — dijo María.

— Sí, sí — replicó Natalia. Ella por los menos
quería ostras para comenzar y champagne para
concluir.

El encargado se retiró, después de hacer una
solemne reverencia, diciendo que la comida estaría en seguida.

El mozo venía con las ostras y los vinos, cuando se presentaron varios señores de sombrero de
copa y se sentaron en una mesa próxima á la en
que estaban María y Natalia con Roche.

Uno de estos señores asomó un tanto indis-
cretamente la cabeza, y al ver á Roche le saludó.

— Son paisanos de usted — dijo el escocés á
María; — son españoles.

— ¡Ah!, ¿sí?

— Sí.

Aunque no lo hubiera dicho, lo hubiera notado
ella al momento, porque los españoles se pusieron en seguida á hablar en voz alta. Lucieron
también un poco sus conocimientos lingüísticos;
cambiaron con el encargado algunas palabras en

italiano, al mozo le hablaron en francés, y ellos comenzaron su conversación en castellano.

Primeramente discutieron acerca de un tenor que trabajaba en el teatro de Covent-Garden; después comenzaron á hablar de mujeres.

Uno de ellos, de voz agria, feo, bizco, de color cetrino, que sin duda acabada de llegar á Inglaterra, aseguró que no había visto en Londres una mujer guapa, y que todas las que le habían mostrado como bellas eran horribles, espantosas, verdaderos esperpentos que daban miedo.

. . . .

— Son españoles, ¿eh? — preguntó Natalia, que no entendía nada de la conversación que sostenían allí cerca.

— Sí.

— Tienen facha de farsantes.

— Lo son seguramente — dijo María.

— ¿Usted los conoce? — preguntó Natalia á Roche.

— Sí — contestó el escocés. — Ese bizco, que dice que las mujeres inglesas son horribles, es un diplomático que creo que acaba de llegar á Londres; el de las melenas es un violinista, el grueso del bigote un cantante y el de la barba negra un gentleman. Á ese otro, flaco, afeitado, no le conozco.

Roche y Natalia tenían que decirse muchas cosas, é hicieron el gasto de la conversación; María estuvo escuchando, con un sentimiento mezclado de curiosidad y de indignación, lo que hablaban los españoles.

. . . .

— Yo para las mujeres — dijo el violinista —
tengo siempre el mismo procedimiento, el mismo
vocabulario y hasta las mismas frases.

— Es una sabia economía de ingenio — dijo
el afeitado.

— No; es una táctica.

— ¿Y á todas las dice usted lo mismo? — preguntó el diplomático.

— Á todas. Me presento ante ellas como un
hombre decaído y depravado. Ellas ven en mí
un vicioso, un perdido á quien regenerar y levantar de la abyección y convertir en un gran artista
puro y casto, y casi todas caen en la tentación de
regenerarme.

— ¡Ja, ja, ja! — rieron los demás.

— Sí; es así como tengo mis éxitos — aseguró el virtuoso con una voz lánguida y triste. —
Bueno; no me comais todas las otras mientras os
voy ilustrando.

. . . .

— ¿Qué le parece á usted, miss Aracil? — dijo
Roche.

— Es cómico y repugnante tanto cinismo --
contestó María ofendida.

— Y sin embargo dice verdad. Con un procedimiento así tendrá éxito.

— ¿Cree usted...?

— Sí. Hay aquí muchas mujeres que sienten
ese idealismo de levantar al artista, de sostener-
le; es un sentimiento romántico alimentado por
lectura de novelas ridículas, pero que tiene su
base en lo que hay de maternal en la mujer.

— Creo que en España no caerían las mujeres en un lazo tan burdo — dijo María.

— Quizás no. Allí la gente es más avisada; las mujeres caen en otros lazos. Cada pueblo tiene su clase de malicia y su clase de tontería — añadió Roche filosóficamente.

. . . .

Tras de las confidencias del violinista vinieron las del gentleman. Era éste un hombre decorativo, de nariz grande y recta, barba negrísima, y voz hueca. Hablaba de una manera enfática, arrastrando las eses.

— Yo no puedo vivir *mass* que en *Londress* — decía —; *lass gentess* de *loss demáss puebloss* no saben vertirse, no tienen *formass*.

— Si embargo, los franceses... — comenzó á decir el diplomático.

— ¡No me hable usted de los franceses! — exclamó el gentleman; y luego, cambiando la voz, dijo en francés —: Des épiciers, mon ami, des épiciers. Tous.

El diplomático recién venido no se atrevió á discutir con el gentleman y le dejó hablar. Este confesó que entre sus amigas había echado á volar la idea de que él era un hombre capaz de asesinar á una mujer, lo que le proporcionaba grandes éxitos. Dijo también que su renta apenas llegaba á siete mil pesetas, lo que no era obstáculo para que pagase más de cinco mil por el cuarto que ocupaba en una casa-club.

— ¿Más de cinco mil pesetas paga usted por el cuarto? — preguntó el diplomático asombrado.

— ¡Oh! Es indispensable. Para entrar en el

gran mundo tiene usted que tener la dirección
de su casa en un sitio *chic*. Si se mete usted en
Bloomsbury ó hacia el Este está usted perdido.

— ¿Y cómo vive usted con el dinero que le
queda? — dijo el diplomático.

— Vive de guapo — contestó el violinista.

El hombre de la barba negra sonrió. Luego
comenzó una explicación minuciosa de sus com-
binaciones y recursos; dijo dónde se debían hacer los trajes y comprar los zapatos y los sombreros, el papel de cartas y las tarjetas.

— ¿Pero eso tiene tanta importancia? — preguntó el recién venido.

— Muchísima. Esto, por ejemplo, de los sombreros de copa es transcendentalísimo. En Londres no hay más que dos sombrererías de verdadero *chic* para el sombrero *haute-forme*. Va usted
á una reunión, y el criado que le toma el gabán
mira la muestra del sombrero, y si no es de una
de las dos casas elegantes le tiene á usted por un
cualquiera, por un pelafustán; y el día que necesita usted de él para entregar una carta á la señora
ó á una amiga, no lo hace, le desprecia á usted...

El diplomático debía estar abrumado con la
superioridad de sus compañeros de mesa; pero
sin duda no quería dar su brazo á torcer, y apro-
vechando una discusión entre el violinista y el
gentleman, dijo al afeitado, que apenas hablaba :

— Por más que digan, yo creo que aquí tiene
que haber más preocupaciones de moralidad que
en París, por ejemplo.

— No crea usted — replicó el afeitado. —
Esto está podrido. El Londres de las preocupa-

ciones desaparece; la gente de buen tono, la *Smart Set,* se desentiende de las ideas de sus abuelos; las mujeres se pintan el pelo y los ojos, beben champagne y gastan un dineral en vertirse. Los hombres ricos no adoran á la *cocotte,* como en Francia, porque tienen la *cocotte* en su casa.

— ¿Comó en su casa?

— Sí, en su mujer.

— ¿Pero es verdad?

— Aquí no hay una mujer honrada — dijo rotundamente el gentleman interviniendo en la conversación.

— Querrás decir que tú no conoces ninguna — replicó el afeitado; — yo, tampoco ; pero no aseguro que no haya alguna... en Whitechapel ó en otro rincón por el estilo.

— ¿De manera que estas inglesas son grandes enamoradas? — preguntó el diplomático.

— ¡ Pse ! — dijo el violinista. — ¡ Enamoradas ! Según lo que se entienda por amor.

— Yo no creo en el amor — afirmó el gentleman.

— Ni yo — añadió el cantante.

— ¡ Bah ! — murmuró el hombre afeitado y razonador. — ¿Que no creeis en el amor? ¡ Claro ! Pero vosotros no podeis saber nada de eso, hijos míos. Este mismo dice — y señaló al violinista — que se presenta ante las mujeres como un pobrecito á quien proteger; tú — é indicó al gentleman — vas detrás de la mujer que te solicita con la ilusión de que puedas ser un amable asesino. El uno excita la piedad, el otro una curiosidad malsana. Vosotros soportais el amor, pero no le conoceis.

— ¡Filosofías! — dijo el gentleman, vaciando una copa de Burdeos.

— No, realidades. Tanto valdría que una *cocotte* dijera: No hay amor, porque ella no lo siente.

— Creo que nos ha insultado, tú — dijo el violinista al gentleman. — Nos ha llamada *cocottes*.

— ¡Pse! No le hago caso.

. . . .

Por más que Roche no quería hablar solamente con Natalia y se dirigía á las dos amigas, María la mayoría del tiempo estuvo callada oyendo lo que decían los españoles.

Aquellas confidencias de un cinismo bajo, alegre y superficial, le daban la impresión clara de la inmoralidad del ambiente. Por otra parte, el ver á Natalia y á Roche, que tenían el uno para el otro delicadezas de los que marchan rápidamente hacia el amor, le indicaba el desamparo en que ella se veía.

Estaba violenta, y así, cuando Roche dijo:

— ¿Nos iremos?

María respondió con viveza:

— Sí, vámonos.

— Nuestra amiguita — exclamó Roche dirigiéndose á Natalia — se ha aburrido.

— ¿De veras te has aburrido? — le preguntó Natalia. — ¿De veras?

— No, no — contestó María entristecida.

Salieron del restaurant y entraron de nuevo en el cab.

— ¿Pero esto puede ser verdad? — preguntó María.

— ¿Qué? — dijo Roche.

— Lo que decían esos españoles de la inmoralidad de Londres.

— Sí, aquí hay mucha inmoralidad — contestó Roche ; — pero no hay que hacer tampoco mucho caso de lo que digan los parásitos y los histriones.

EN EL TEATRO

Iban á ocupar sus asientos, cuando vieron á Vladimir Ovolenski sentado en un asiento próximo. Los saludó, y se acercó á ellos. Estaba, según les dijo, con su madre y su hermana. La madre era una vieja de aire astuto, vestida de negro, y la hermana una mujer guapa y vistosa.

El teatro estaba casi lleno; abajo, en las butacas, se veían muchas señoras descotadas y hombres de frac.

Empezó *Julio César* con la conversación de ciudadanos en una calle de Roma.

Al principio ni Natalia ni María comprendían bien; luego fueron acostumbrándose á la pronunciación enfática de los cómicos, y empezaron á darse cuenta de lo que decían. En el segundo acto, la entrada de los conjurados en el jardín de la casa de Bruto le hizo, según dijo, un gran efecto á Natalia. Le recordaba escenas de la revolución rusa.

— Es un grande hombre Bruto — dijo Vladimir en voz alta.

Un señor de al lado protestó; dijo que el tal Bruto era un rebelde y un mal patriota; lo consideraba sin duda como un socialista ó un partidario de la autonomía de Irlanda.

La escena de la muerte de César, cuando los conspiradores levantan las armas y gritan : «¡ Independencia ! ¡ Libertad ! ¡ La tiranía ha muerto !», les impresionó mucho.

María miró á Vladimir. Le brillaban los ojos de entusiasmo, y hablaba con los que se encontraban á su lado.

La escena en el foro estuvo muy bien representada; el discurso de Bruto ante el cadáver de César, la réplica de Marco Antonio, los movimientos de la multitud impresionable, cambiando á cada momento del entusiasmo por la justicia al entusiasmo por la gloria, fueron maravillosos.

María se hallaba impresionada por la representación, pero más aún por la presencia de Vladimir. Dos veces se le ocurrió mirarle, con una timidez que á ella misma le asombraba, y se encontró con sus ojos, que la contemplaban con una expresión de ternura.

Los dos últimos actos, preparatorios del castigo de Bruto, ya no les interesó gran cosa. Natalia hablaba con Roche. Salieron del teatro, y á la puerta se encontraron con Vladimir y su familia. La madre y la hermana del polaco contemplaron á María con atención; él se acercó á María y á Natalia, y les tendió la mano, y María apenas tuvo fuerza para estrechársela.

PASEO DE NOCHE

Salieron del teatro, fueron por Haymarket, y cruzaron por Trafalgar Square.

— Si no tienen ustedes prisa — dijo Roche — vamos á dar un paseo. Ustedes no habrán visto Londres de noche.

María no contestó; iba abstraída, y al mismo tiempo asustada, pensando en Vladimir. ¿Sería un farsante, ó era un hombre noble y generoso? Tomaron por el Strand; había gente delante de una tienda cerrada, y se pararon. Estaba tocando el timbre de alarma de una joyería, y se habían reunido policías y público á ver qué pasaba.

— Parece que está el ladrón ahí — dijo uno de la calle.

— ¿Y por qué no entran á ver? — preguntó Natalia.

— No pueden — contestó uno como si en aquello se cifrase el honor de toda Inglaterra ; — sin el permiso del amo no se puede entrar.

Estuvieron allá parados un rato, y como lo único que pasaba era que seguía tocando el timbre, se fueron.

— ¿Sabe usted lo que pasa? — dijo á María un borracho, haciéndola estremecer ; — pues no pasa más sino que la gente de Londres es muy tonta y cualquier cosa le llama la atención. Aquí hay mucha electricidad, y nada más. ¡Vaya, adiós !

Celebró Roche la frase del borracho, y luego dijo :

— Ahora vamos á echar un vistazo sobre nuestra juventud dorada.

Volvieron nuevamente á la calle del teatro, y Roche les llevó delante de un hotel.

— Dentro de un minuto — dijo — la Policía echará á la gente que hay dentro. Es un espectáculo que vale la pena de verse.

Efectivamente, á las doce y media en punto el hotel apagó las luces y cerró las puertas, y no dejó más que un postigo para la salida. Dos policías entraron en el elegante hotel, y comenzaron á echar á la calle á mujeres elegantísimas y á señoritos de frac.

— ¡ Vamos, vamos ! — decían los policías. El portero del hotel á la puerta gritaba, y el rebaño de señoritos y de cocotas, con una gran resignación, salía á la calle. Cerró el portero su postigo, y, ocupando un gran trozo de la ancha acera, quedó todo el tropel de mujeres y de gomosos con cierta tendencia á estacionarse allí; pero los hombrones de la Policía, en número de cuatro ó cinco, cerraron la acera é hicieron subir el rebaño de pecadores hacia Piccadilly Circus. Roche hizo observar que muchas de aquellas mujeres hablaban alemán, y que entre ellas mariposeaban los chulos elegantes.

En Piccadilly Circus la tropa de viciosos tuvo otro momento de parada; los policías que venían de Piccadilly cortaron aquella procesión y la hicieron disolverse en un momento, y unos en coche, otros á pie, dejaron todos la calle limpia.

Poco después un policía, con una linterna en la mano, iba examinando si estaban bien cerra-

das las puertas de las casas y de las tiendas. Tomaron María, Natalia y Roche por Charing Cross
Road. Había en la calle un puesto ambulante,
iluminado con una lámpara de acetileno, y algunos vagabundos tomaban café en el mostrador.
Entraron María y Natalia en su calle; en un portal dos mujeres reñían y vociferaban ; un policía
se puso á pasear delante de ellas hasta que una de
las mujeres se fué.

Se despidieron de Roche y entraron en casa.
La pequeña Macha había llorado mucho al verse
sin su madre.

CAPITULO XIV

CONFIANZA Ó PRUDENCIA

Aquella noche María no pudo dormir tranquila. La conversación de los españoles en el restaurant, las escenas de *Julio César,* y la procesión de mujeres y señoritos por Haymarket, se confundían y se barajaban en su imaginación; pero sobre todo la mirada de Vladimir la perseguía y la obsesionaba. Por un fenómeno de fe absurda, frecuente en los enamorados, se figuraba que en aquella noche, en el momento de cruzar con él la mirada, había descubierto la manera de ser íntima del joven revolucionario.

Creía ya comprenderle mejor que si le hubiese conocido de niño. Era sin duda un hombre exaltado, ardiente, que iba á arrastrarle á ella á una vida dolorosa, más grande, más intensa que la vida vulgar, pero llena de intranquilidades y de zozobras. Le parecía que Vladimir sería capaz de poner su vida en cualquier locura, y esto la horrorizaba; pero más que horrorizarla, la atraía.

Toda la noche la pasó María sin poder dormir, lamentando á ratos no saber rezar para consolarse con el rezo.

Al día siguiente fué al trabajo abatida, preocupadísima, sin poder olvidar todavía la mirada de

aquel hombre. Dickson durante el almuerzo notó
su preocupación.

— ¿Le pasa á usted algo? — la dijo.

— No, nada; estoy algo indispuesta.

— Pues quédese usted en casa.

— No, no es para tanto — contestó ella.

Por la noche el cartero dejó para María una
carta. Era de él. La abrió con ansiedad. Era una
carta larga, lírica, en la que le hablaba de la primera vez que le había visto, de su infancia, de
su vida y de la representación de *Julio César*.

María leyó aquella carta, y la impresionó profundamente; pero, sin saber por qué, le quitó toda
su fe en Vladimir, é hizo nacer en ella una violenta sospecha. Además, un amor tan ideal, tan
romántico, le parecía demasiada suerte.

Se puso María inmediatamente á contestarle,
y escribió una carta larguísima, que al día siguiente vaciló en echar al correo. La noche siguiente intentó reducir su carta y darla una apariencia de sensatez, y al fin escribió una carta fría
y tonta, que, después de enviarla y de pensar
en ella, la comenzó á avergonzar.

Natalia durante estos días observaba á su amiga.

— ¿Qué tienes? — la solía preguntar.

— Nada.

— ¡Oh! Ya sé lo que tienes — le dijo al fin,
impacientada con la reserva de su amiga.

— La verdad es que la locura parece que ha
entrado en esta casa — contestó María.

— ¿Por qué la locura? Vladimir te quiere; tú
sientes inclinación hacia él.

— Sí, inclinación, pero tengo miedo.

— Miedo porque quieres luchar contra tus sentimientos, y una pasión fuerte te asusta.

— Sí, es verdad.

— ¿Y por qué?

— Porque sí, porque es natural, porque no sé cómo es él, porque no le conozco.

— ¿Qué más quieres saber?

— Muchas cosas. Además, me temo que sea un farsante.

— ¿Por qué? ¿Por qué suponer tal cosa? Es la prudencia, la tonta prudencia la que te hace pensar así. Hay que ser generosa, María.

— Pero sabiendo con quién.

— Con todos... ¿Te vas á secar sola y triste cuando hay un hombre que se preocupa por tu vida, por todos los momentos de tu vida? No. Yo, ya ves, no me he preguntado quién es Roche; mi ternura va hacia él, y yo voy tras de mis sentimientos.

— ¿Pero estás segura de que le quieres?

— Sí.

— ¿Tienes fe?

— Completa.

— Yo no.

— ¿Y por qué no? ¿Porque crees que ser prudente es mejor que ser generosa? Rutina, tontería. ¿Qué experiencia tienes para creer eso? Ninguna. Absolutamente ninguna. Que te lo han dicho; nada más. Tú, que tienes tan gran corazón, ¿por qué desconfías? ¿Te ha traicionado alguien? No. Y sin embargo desconfías. Desconfías de ti misma y de los demás, y te haces desgraciada, y haces desgraciados á los demás.

— No, eso no — dijo María sonriendo.

— Sí — y Natalia tomó entre sus manos las de su amiga y las estrechó arrebatadamente. — Si yo pudiera darte mi fe, mi confianza en los demás, te la daría. No, no mates tu vida de amor con tu cálculo y tu prudencia. La mujer ó el hombre que obedece á sus sentimientos no hace más que cumplir su ley.

María escuchaba las razones apasionadas de su amiga, pero estaba turbada. ¿Qué hubiesen dicho sus amigas de Madrid ante esta rusa, que creía en la pasión como en un dogma sagrado? Seguramente la hubieran tenido por una loca.

Aquella noche no pudo dormir; la discusión con Natalia la inquietó. En algunos momentos cortos en que quedaba traspuesta, tenía sueños atropellados y rápidos. Soñó que se casaba con Vladimir y que le llevaban á él á la Siberia y que ella le seguía con los pies desnudos. Luego recorrían campos cubiertos de nieve, que eran idénticos á los vistos por ella en la fuga con su padre á través de España; pero estos campos ya no tenían sol ni calor.

Después, ya despierta, pensó que en aquella novela medio imaginada, medio soñado, había mucho de la historia de la princesa Wolkonsky, contada por Natalia al traducir al inglés algunos trozos del poema de Nekrassov.

Entre todos estos desvaríos del insomnio no había nada plácido y amable; todo era torturado, doloroso; todo era horror, tristeza, desesperación. Algunas veces estas ideas angustiosas su cerebro las transformaba en imágenes plásticas, y la tris-

teza era como un mar con unas olas negras que
iban subiendo cada vez más altas.

Otras veces se refugiaba en sus recuerdos para
huir de las ideas dolorosas, pero no llegaba á interesarse á sí misma. Su vida anterior, el recuerdo
de su padre, el de Venancio con sus hijas, había
palidecido.

Vladimir tomó la costumbre de ir los sábados
por la tarde á tomar el té en compañia de Roche
á casa de María.

Roche hablaba con verdadera satisfacción; se
le veía que se encontraba allí á gusto, jugando
con Macha, á quien solía tener en las rodillas.

Muchos veces le decía á Natalia :

— Es usted una mujer *confortable.*

Ella se reía.

Contrastando con Roche, Vladimir tenía un aire
humillado. Soló hablando de política y de cuestiones generales se exaltaba y se expresaba de una
manera entusiasta. En lo demás se manifestaba
reservado, cosa extraña, porque podía comprender
que nadie dudaba allí de sus palabras y que María
y Natalia estaban más dispuestas á admirarle que
á desconfiar de él. María notó, con la rápida per-
cepción de las mujeres para estas cosas, que Vladimir no era generoso. ¿Sería quizás que se encontraba en una situación económica peor de lo que
parecía?

Lo cierto era que su amistad no hacía más que
entristecer y perturbar á María. Esta esperaba con
ansiedad que llegara el sábado siguiente para ver
si la situación se aclaraba, y llegaba el sábado y
María quedaba más confusa y perpleja. «¿Por qué

no habla? — se preguntaba. — ¿Por qué no dice lo que le ocurre? » Y pensando soluciones para su enigma, María se pasaba muchas horas en un insomnio febril.

Natalia también iba variando de opinión con relación á Vladimir; ya no tenía por él el entusiasmo frenético de antes, y de cuando en cuando, en el momento de la más apasionada plática igualitaria del polaco, le dirigía una mirada escrutadora y fría.

CAPÍTULO XV

MALA NOCHE

Un sábado al anochecer, después de tomar el té, estaban en el cuarto de Natalia, María y Vladimir. Roche había salido un momento antes, y Vladimir se había quedado á escribir una carta recomendando Natalia á un periodista ruso.

Iba á marcharse el polaco, pero comenzó á caer un aguacero, y se quedó aguardando á que pasara.

Estaban los tres y la niña delante de la chimenea, cuando se oyó que llamaban suavemente en la puerta.

— ¿Quién podrá ser ahora y con este tiempo?— dijo María.

Fué á la puerta, abrió, y se encontró con Maldonado, que venía chorreando agua.

— ¿Usted á estas horas? — le dijo María. — ¿Qué le pasa á usted?

Maldonado comenzó á divagar, y, después de muchas palabras inútiles, dijo:

— Tengo otros dos paquetes para enviarlos fuera.

— ¿Dos bombas?

— Sí.

— ¿En dónde? ¿Aquí?

— No, no las he tomado todavía.

— Pase usted — dijo María; — no hablemos á la puerta.

Hizo entrar al viejo á su cuarto, y avisó á Natalia y á Vladimir lo que pasaba.

Vladimir con María pasaron al cuarto á ver á Maldonado, y Natalia dijo que iba á acostar á su hija y que volvería en seguida.

Al enterarse Vladimir de lo que se trataba, palideció profundamente.

— ¿Y quién es el que tiene que entregarle á usted las bombas? — preguntó.

— No sé — dijo Maldonado; — yo me he comprometido á ir á recogerlas esta noche á las tres al cementerio de Saint Giles in the Fields.

— No vaya usted — dijo María.

— Me matarán — contestó Maldonado.

— ¿Y quién se ha entendido con usted — dijo Vladimir.

— Black, el capitán Black, que á su vez se entiende con Toledano. Hace unos días me dijo : «¿Quiere usted enviar otros paquetes á España?»

— ¿Y usted por qué no se ha negado? — dijo María.

— Porque me estaba cayendo de hambre, y, como digo, me han dado algún dinero, y hemos quedado de acuerdo que esta noche á las tres me dejarán las dos bombas en el banco de en medio del cementerio de San Gil, donde tengo que ir á recogerlas.

— ¿Y cree usted que si no va...?

— Si no voy, mañana ó pasado estará flotando mi cadáver en el río.

Vladimir dijo á María en francés que la relación de Maldonado tenía todas las trazas de ser una fantasía; pero ella le contestó secamente, diciéndole que creía que era cierta.

Estaban sin saber qué determinación tomar, cuando llegó Natalia y se enteró de todo.

— Lo mejor es que vayamos á la cita — dijo.

— ¿Quiénes? — preguntó alarmado Vladimir.

— Nosotros, los cuatro.

— ¿Á recoger las bombas? — preguntó María.

— Sí.

— ¿Y luego qué hacemos con ellas?

— Tirarlas al río — dijo la rusa.

Vladimir trató de disuadirles de esta idea; el proyecto no le hacía ninguna gracia; volvió á insinuar que toda la historia de las bombas podía ser una fantasía del viejo, y añadió que tenía la seguridad de que á las tres de la noche el cementerio de San Gil estaría cerrado.

— Ya lo veremos — replicó Natalia. — Bien cerca está de aquí, y no perderemos mucho tiempo en comprobarlo.

Se dispusieron á pasar la velada en el cuarto de María; Natalia hizo té, y esperaron sin hablar á que avanzara la noche. Afuera el viento golpeaba puertas y ventanas, y la lluvia azotaba con fuerza los cristales. La chimenea echaba de cuando en cuando bocanadas de humo que llenaban la habitación.

Á media noche dejó de llover, y un cuarto de hora antes de las tres salieron todos de casa. Estaba la noche negra y silenciosa; las calles fangosas; pasaron por Shaftesbury Avenue, completamente desierta, y salieron á High Street.

— El cementerio está seguramente cerrado — dijo de nuevo Vladimir.

Se acercaron á la puerta de la verja; empujó Natalia el picaporte, y la puerta se abrió. Pasó la rusa, luego Maldonado, después Vladimir, y por último María, que cerró la puerta. Por un corredor que atravesaba el patio exterior de la iglesia salieron al cementerio. Al correrse las nubes había quedado el cielo estrellado en parte, y se veía algo. No había nadie. Faltaban unos minutos para las tres.

— ¡Claro, no hay nadie! — dijo Vladimir.

— Esperemos á que den las tres — contestó Maldonado. — El capitán Black no falta.

Esperaron anhelantes hasta que se oyeron las tres campanadas; durante un momento se sintió como un rumor de pasos; Natalia se acercó al centro del jardín, y llamó á los demás. En el banco había dos paquetes envueltos en periódicos.

— Vamos — dijo Natalia tomando uno en la mano.

Recorrieron el cementerio y luego el jardín; la puerta estaba abierta. Salieron á la calle. Faltaba Vladimir.

— ¿Y Vladimir? ¿Dónde está? — preguntaron María y Natalia al mismo tiempo.

— ¿Habrá quedado dentro? — dijo María.

— No — contestó Maldonado; — ha salido antes que yo.

Vladimir había desaparecido.

— Bueno, vamos á casa — añadió Natalia ; — allí irá si quiere.

Llegaron á su calle; entraron en casa sin hacer ruido, y dejaron los dos paquetes en el tocador de María. Ni ella ni Natalia quisieron hacer comentarios sobre la fuga de Vladimir.

Esperaron en compañía de Maldonado á que clarease.

Á las cinco de la mañana salieron los tres de casa, y echaron á andar. Por encima de los tejados, el cielo vagamente cobrizo indicaba que comenzaba la mañana. Las calles estaban desiertas, llenas de charcos. Soplaba un viento frío y húmedo.

A LO LARGO DEL TÁMESIS

Fueron á lo largo del río, buscando un sitio en la orilla que estuviera sin gente. Á cada paso encontraban algún policía. Recorrieron el muelle Victoria. Estaban todavía encendidos los faroles, que inundaban de luz las orillas. Buscando un lugar más desierto, atravesaron el túnel de Blackfriars, y entraron en Upper Tames Street, la calle Alta del Támesis. Comenzaba á clarear; el resplandor rojizo del cielo iba haciéndose más fuerte, y la niebla á lo lejos tomaba un tono anaranjado. Las luces se apagaban, y el pueblo parecía extenderse en una cueva iluminada por un cristal turbio. La calle que tomaron estaba desierta; los almacenes cerrados. Por las rejas se veían galerías llenas de fardos, iluminadas con bombillas eléctricas, cubiertas de polvo; un guardián

husmeaba por los rincones con una linterna en
la mano, y en algunos sitios, muy á lo lejos, por
un ventanal ancho que daba al Támesis, brillaba
la claridad gris del cielo.

De trecho en trecho la calle se hallaba cortada
por un callejón angosto y largo, que desembocaba en el río, y en su fondo se veían los palos
de un buque en el aire gris. Algunos de estos
callejones estaban flanqueados por torres, y las
ventanas de sus muros parecían aspilleras.

Natalia y Maldonado entraron en el primer
callejón desierto á ver si se podía desde allí echar
los dos bultos. María se quedó de guardia á la
entrada para avisarles si venía alguien.

Era el callejón una hendidura estrecha entre
dos paredes altísimas, negras y sin ventanas. Sólo
á la altura del tejado avanzaba una serie de grúas
adosadas á la pared. Desde allí se sentía el rumor
del río amenazador y siniestro.

María vió cómo se alejaban Natalia y Maldonado; pero al llegar al final de la angosta fisura,
se les acercó un hombre y hablaron con él y volvieron un poco después.

Siguieron de nuevo por Upper Thames Street,
mirando siempre á los callejones que daban hacia el río por si encontraban alguno donde no
hubiera gente. En casi todos aparecía al poco rato
un guarda, un marinero ó un madrugador cualquiera.

En uno de los callejones no vieron á nadie, y
llegaron hasta el final. Terminaba en un patio
enlosado, con una escalera cuyas gradas caían á
un pequeño dique. En medio del patio había una

reja en el suelo, y en un rincón unas cuantas calderas roñosas, anclas, cadenas y hierros amarillos
tomados por el orín, remos y un esqueleto de una
barca con las costillas rotas.

La marea estaba baja, el dique sin agua, cubierto de fango, y sobre él se tendía una gabarra
ladeada, sujeta por una amarra á una argolla, también mohosa. Como cerrando el dique, sobresalía
del cieno una línea de estacas, y en esta capa de
cieno, comprendida entre la línea de estacas y la
orilla, nadaban é iban y venían á impulsos de la
marea unas cuantas tablas, unas botas viejas y
un gato muerto, hinchado, como un globo.

LAS RATAS

Avanzaron en el patio, y vieron, no sin cierta
sorpresa, un hombre que les miraba por la cueva
á través de la reja.

— ¿Se podrá andar por encima de ese barro
amarillo? — le preguntó Natalia.

— En ese barro amarillo — contestó el hombre con solemnidad — desaparecería usted sin
dejar el menor rastro.

— ¿De veras?

— Probablemente sería imposible encontrarla.

— ¿Pero es posible? — preguntó María.

— ¡Ya lo creo! Habrá ahí muchos metros de
lodo. Además, está todo lleno de ratas como perros
de grandes.

Natalia se estremeció de terror. El hombre sa-

lió de su agujero. Era un tipo rojo y zambo con
los pantalones recogidos y las piernas desnudas,
y llenas de pelo. Cerró la reja y entró en la gabarra. Saludaron al hombre, y volvieron á seguir
por la calle paralela al Támesis. La quietud de
todas aquellas poleas y grúas que se veían en
los callejones negros, formados por paredes altísimas y sin ventanas; los montones de cajas y de
barricas abandonados en los desembarcaderos,
todo esto, en el aire de la mañana, daba la impresión de un pueblo atacado por la peste, sor-
prendido por la muerte en un momento de agitación y de máximum de vida.

¡AL RÍO!

Tomaron por Lower Thames Street, la calle
Baja del Támesis, y por indicación de Maldonado, pasando por cerca de San Magnus y de la
Aduana, salieron á un pequeño muelle con bancos, completamente desierto.

— Este es nuestro sitio — dijo Natalia. — Ven-
gan los paquetes.

Se acercaron al borde del muelle. Abajo, en
un lanchón, dos marineros hablaban sentados en
cuclillas; otro, en una gabarra, iba sujetando con
un alambre el toldo de un cargamento de heno.

Se sentaron en un banco, y esperaron á que no
quedase nadie en la orilla. Iba subiendo la marea.
El río ancho, gris, como una lámina de plomo,
bajo el cielo nublado, se mostraba magnífico, majestuoso; ni ruidos ni voces alteraban la calma

de la mañana de este día de descanso; todo reposaba del trabajo fatigoso de los días anteriores. Enfrente, á lo lejos, la otra orilla daba la impresión de un pueblo lejano en medio de esta bruma que esfumaba los contornos de las cosas. Los barcos negros por el carbón, formando filas á lo largo de los embarcaderos de la City, dejaban en medio canales; algunos buques esperaban la descarga hundidos; otros, por el contrario, muy levantados en el agua, fuera de la línea de flotación por falta de lastre, mostraban sus forros sucios, llenos de musgos verdosos.

Un momento estuvieron el muelle y el río sin gente; iban á lanzar los dos envoltorios, cuando apareció un bote de la Aduana con unos hombres vestidos de uniforme.

Al perderse de vista el bote, Natalia cogió uno de los paquetes de Maldonado y lo tiró al río. Fuera ilusión ó realidad, á los tres les pareció que el agua se levantaba con una fuerza formidable. Natalia, siempre valerosa, quiso tirar la otra caja, pero María, temiendo que les hubiesen visto, dijo que sería mejor esperar y marchar á otro sitio.

EL WAPPING

Dejaron el muelle, y volvieron á Lower Thames Street. Alguno que otro grupo se cruzó con ellos, y Maldonado se empeñó en decir que eran espías.

Pasaron los tres por delante de la Torre de Londres. Unos soldados con unos gorros muy altos renovaban la guardia. Cruzaron de prisa el muelle de la Torre y atravesando una calle, y, siguiendo después otra, salieron delante de ios Docks de Santa Catalina. Pasaron por encima de un puente giratorio y luego de varios otros de los London Docks. Se veían grandes estanques de agua verde, cerrados por esclusas; el agua en estos depósitos parecía estar por encima del nivel del suelo, y flotando sobre ella los barcos tenían el aspecto de grandes castillos. Á lo lejos se veían vagamente entre la niebla bosques de mástilles y altas chimeneas.

En la pasarela de los puentes giratorios algunos empleados y marineros charlaban fumando su pipa. Tomaron por una callejuela estrecha, entre dos paredones negros, sin puertas ni ventanas, que parecían muros de una cárcel; de trecho en trecho, entre casa y casa, había escaleras de rápida pendiente, que bajaban hacia el río; bandadas de chiquillos desarrapados merodeaban por allí. Había un olor mixto de sardina vieja y de alquitrán flotando en el vaho húmedo que echaban los Docks, estos grandes pantanos formados por la entrada del río fangoso en el interior del pueblo.

Pasaron por delante de la dársena del Wapping, y se acercaron á un muelle con unas escacaleras. Eran las Viejas Escaleras del Wapping, Wapping Old Stairs.

María bajó de prisa con la caja en la mano; saltó á una lancha, y desde ella dejó caer en el agua la máquina infernal. Se hundió sin ruido; sólo salieron dos ó tres burbujillas de aire. María volvió á subir las escaleras. No los había visto nadie.

Desde allí el río, envuelto en la niebla, tenía una extraña y melancólica grandiosidad. Á lo lejos se veía muy vagamente el puente de la Torre, y el agua brillaba como si fuera de acero.

Preguntaron á un hombre que parecía un empleado de los Docks por dónde volverían más pronto, y les indicó el camino de una estación que seguía la misma calle, llamada Wapping High Street.

Lo hicieron así; de los portales de algunas casas negras se veían salir chiquillos sucios, feos, andrajosos; muchachas de trajes claros hablaban con marineros jóvenes, entre los cuales chocaba ver japoneses vestidos de blanco y chinos de larga coleta. Un negro repulsivo, con un pañuelo rojo al cuello, cruzó tambaleándose, borracho, y dos escandinavos, altos, rubios, pasaron cantando; uno de ellos llevaba una cacatúa en el hombre y el otro un mono.

— Mira, mira las elegantes con un viejo — gritó una muchacha desde un portal señalando á María y á Natalia.

Maldonado mostró un fumadero de opio, adonde había ido él, según dijo, varias veces. Era una casa pequeña, de color rojo, sucio; en el piso bajo tenía una especie de taberna, con ventanas ocultas por cortinas negras. Encima del letrero, borrado por la bruma y el humo, había un balcón ancho y de poca altura, que avanzaba sobre la fangosa calle.

Á la puerta dos chinos esqueléticos hablaban.

Unos chicos desde un callejón comenzaron á tirar piedras á María y á Natalia, que tuvieron que apresurar el paso. Comenzaba á llover. Llegaron á la estación del Wapping, y en pocos minutos en tren volvieron al Museo Británico. Le dejaron á Maldonado, y, comentando las impresiones del día, entraron en casa.

CAPITULO XVI

RAZA CANSADA

MARIA pensó en aquella aventura y buscó en su cabeza una explicación razonable y que dejara en buen lugar el valor y la dignidad de Vladimir. Ciertamente que no la encontró, pero inventó alguno que otro subterfugio para tranquilizarse. Esperaba que el polaco diera una explicación; pero Vladimir, que casi todos los sábados iba por la tarde á tomar el té con Roche, dejó de aparecer por la casa.

— ¿Qué le pasará? — se preguntaba María. — ¿Estará enfermo?

Ella comprendía bien lo que le pasaba, que necesariamente debía estar avergonzado, pero quería engañarse suponiendo que no iba por otra causa cualquiera.

Un día y otro día le esperaba, y él no aparecía.

Al segundo sábado en que Vladimir no se presentó, María le encargó á Natalia que se enterara de si Vladimir se encontraba enfermo, ó si estaba de viaje. Natalia al día siguiente vino diciendo que no estaba enfermo y que iba con frecuencia á casa de Toledano.

No dijo más, pero María supuso que su amiga sabía alguna otra cosa.

— Tú te has enterado de algo — le dijo — ¿Qué pasa? Di.

— Nada.

— No, me engañas. Cuéntame lo que sepas.

Natalia protestó de que no sabía nada, pero, estrechada por María, le dijo al último :

— Pues lo que pasa es lo que decías tú. Vladimir es un farsante, y se casa con la hija de Toledano.

— ¿Con aquella muchacha gorda?

— Sí.

— ¡Por eso no quería que fuéramos á casa de Toledano !... ¿Y ella es rica?

— Riquísima. Su padre le da una gran dote, y cierra la tienda. Parece que ya han embalado todas sus riquezas, y van á ir á vivir á París.

María, al parecer, recibió la noticia con serenidad; pero al meterse en su cuarto, su serenidad se disolvió en una lluvia de lágrimas. Al día siguiente estaba tan rendida, tan destrozada, que no pudo ir á la oficina. Natalia le escribió á Iturrioz, que se presentó al momento. La rusa le contó lo que había pasado, é Iturrioz vió á María.

— Esto es fatiga más que otra cosa — le dijo, — ¿sabes? Te vas á pasar cuatro ó cinco días en la cama sin ver á nadie, y luego te llevaremos al campo.

María dijo que obedecería. Los días siguientes, fuera por la falta de excitación del aire exterior ó por otra causa, los pasaba llorando; Natalia le mimaba, le trataba como á una niña, y ella lloraba abundantemente por las cosas más insignificantes.

— ¿Pero cómo se explica usted, doctor — le preguntó Natalia á Iturrioz, — que María, tan valiente como es, sólo por una cosa así haya quedado tan abatida? Yo hubiera llorado un día ó dos, pero creo que pronto lo hubiera olvidado todo.

— ¡Ah! Es que usted — dijo Iturrioz — es un magnífico *specimen* de una raza joven, fresca, en la que la energía de la vida tiene una gran elasticidad, y nosotros somos viejos, nuestra raza ha vivido demasiado, y tenemos ya hasta los huesos débiles.

— ¡Qué cosas más desagradables dice usted, doctor!

— Es la verdad.

— No, no es la verdad; María es una muchacha enérgica.

— Sí; pero ha estado haciendo un esfuerzo superior á sí misma, y al fin se ha rendido. Nosotros, la gente del Mediodía, no podemos desarrollar una cantidad de trabajo tenaz y constante : primero, porque la raza está cansada y el caudal de vitalidad que ha llegado á nosotros ha venido exhausto; luego, porque somos máquinas de menos gasto, y por lo tanto de menos producto.

— Sí, será verdad; pero me choca lo ocurrido á María, porque con un poco de imaginación... — dijo Natalia.

— Los españoles no tenemos imaginación — afirmó rotundamente Iturrioz.

— ¿Ni fuerza ni imaginación? — preguntó la rusa burlonamente.

— Ni una cosa ni otra. Además, estamos aplastados por siglos de historia que caen sobre nuestros hombres como una losa de plomo. Nuestras pobres mujeres necesitarán muchos ensayos, muchas pruebas para emanciparse, para ser algo y tener una personalidad. ¡ Y aun así ! Ya ve usted, María es un ensayo de emancipación que fracasa.

Natalia no hacía mucho caso de las generalizaciones filosóficas de Iturrioz, pero seguía al pie de la letra sus prescripciones médicas.

Á la semana de la crisis, María comenzó á levantarse y se fueron mitigando sus melancolías.

LA ÚLTIMA FANTASÍA DE MALDONADO

Días después de la marcha de Toledano y de la desaparición de Vladimir, vino en los periódicos la noticia de que habían cogido en Mansion Land, en el oeste de Londres, cerca de la orilla del Támesis, barriada infestada de bandidos, una sociedad de dinamiteros y monederos falsos. Entre los presos estaban Maldonado, Arapahú, el clown Little Chip y el capitán Black.

Natalia afirmó que no era una casualidad el que los hubiesen prendido á todos, después de la marcha de Toledano y de Vladimir, sino que estos miserables habían denunciado á sus antiguos cómplices.

Natalia sentía un odio terrible por Vladimir; su pasada admiración se había trocado en antipatía y en desprecio; hubiese querido encontrarle en cualquier parte y escupirle y echarle en cara toda su vileza.

Iturrioz fué á la cárcel á preguntar por Maldonado, pero no le permitieron verle.

Al otra día, en la sección de asuntos criminales del *Daily Telegraph,* María y Natalia leyeron con espanto lo siguiente :

SUICIDIO DE UN HIDALGO HUMORISTA

« Ayer por la noche se suicidó en la prisión Central uno de los detenidos por la Policía en Mansion Land y acusado de dinamitero y de expendedor de moneda falsa. El suicida es un hidalgo español de apellido Maldonado. Durante el día, el señor Maldonado se entretuvo en dibujar en la pared de su celda dos escenas, en las cuales los personajes son esqueletos.

Hemos visto estos dibujos, que, si no gran dominio en el arte de Apeles, no dejan de indicar un ingenio sagaz. En una de estas escenas un esqueleto anarquista lanza una bomba que estalla entre la multitud, y van por el aire brazos, cabezas y piernas de personas esqueléticas. En el otro dibujo hay una serie de esqueletos ahorcados y enfrente de ellos un esqueleto sentado en una mesa, con toga, peluca y demás atributos de juez.

Debajo de sus monigotes, el hidalgo señor Maldonado ha escrito en español, con un laconismo digno de la seriedad de su raza, estas palabras : « Está bien. Es igual. »

Después, el señor Maldonado se ha ahorcado con una correa vieja que le servía de cinturón.

¿Qué ha querido decir el señor Maldonado con

sus dibujos? El señor Maldonado no ha considerado conveniente explicarlo. ¿Es una sátira?
¿Es una ironía? ¡Es una advertencia á la sociedad
lo que ha dibujado jeroglíficamente en la pared de
su celda el señor Maldonado? Lo ignoramos.
¡Quién sabe lo que bulle debajo de las anchas alas
del sombrero de un hidalgo español! Nos inclina-
mos á creer que hemos perdido en el señor Maldonado un humorista, un humorista un tanto maca-
bro. Sentimos ciertamente que el señor Maldonado
no nos haya podido explicar las alegorías dibujadas
en la pared de su celda, y por si hay alguno que
pueda aclararlas con el tiempo, desearíamos que
estos dibujos se enviasen, si no á la National Gallery, al menos al museo negro de Scotland Yard.»

Este comentario semiburlesco pusieron á los
dibujos de Maldonado, cuando el pequeño enigma
de la personalidad del viejo español, medio rebelde y medio resignada, pasó por la eficacia de
una correa también vieja, desde una celda de la
prisión Central de Londres, á la región de los
grandes enigmas.

RENACIMIENTO DE LA ESPERANZA

Hay en nosotros un impulso siniestro, que sale
á flote en los momentos tempestuosos, de ira ó de
cólera, de desesperación ó de tristeza, que nos
arrastra á destruir con saña lo que está fuera ó lo
que está dentro de nuestro espíritu.

Este impulso, leñador gigante, tiene el brazo
de titán y la mano armada de un hacha podero-

sa. El árbol de la esperanza crece siempre mientras la vida se desarrolla; el terrible leñador tiene obra siempre; su hacha es implacable, y caen bajo los golpes de su filo las ramas viejas y los retoños nuevos.

Las ilusiones vagas, las ilusiones definidas, la rabia por creer y la rabia por dudar, se suceden en nosotros; y cuando ya no hay más que obscuridad y tinieblas en nuestra alma, cuando vemos que la fatalidad, como un meteoro, en cada día y en cada hora se cierne sobre nuestras cabezas; entonces esa fatalidad se convierte también en esperanza, y cae bajo el hacha del leñador sombrío.

Y pensamos á veces:

— Si vamos por la vida como las ramas de los árboles van por el río después de las grandes lluvias, ¿quién sabe si en algún remanso nos detendremos? ¿Quién sabe si un horizonte sereno nos sonreirá?

No nos detendremos en ningún remanso; el cielo está negro, el sol ha muerto, las estrellas se han apagado; no nos quedará más que el vivir, el inútil funcionamiento de nuestros órganos. Desde nuestro huerto talado no veremos más que el paisaje lleno de nieve y los cuervos dispuestos á lanzarse sobre nuestra carroña. No, nos quedará más.

Veremos que la humanidad es una cosa inútil, un juego incomprensible de la vida, un resplandor que comenzó en un gorila y acabará extinguiéndose en el vacío.

Veremos que el porvenir del hombre y de sus

hijos es danzar siglos y siglos por el espacio con-
vertidos en ceniza, en una piedra muerta como la
Tierra, y después disolverse en la materia cósmica.

Veremos que no hay porvenir para el hombre
ni individual ni colectivamente.

. . . .

Y cuando el horizonte de la vida aparezca desnudo y seco, cuando no quede ni una rama joven
ni un retoño nuevo, cuando el terrible leñador
haya terminado su obra, entonces la esperanza
volverá á brillar como una aurora tras de las
negruras de una noche tempestuosa, y sentiremos
la vida interior clara y alegre.

LA ALONDRA DE ROCHE

María mejoró lo bastante para comenzar á salir
de casa.

Iturrioz le había dicho que era necesario que
dejara el trabajo en la oficina.

Tenía bastante dinero ahorrado para poder vivir
mucho tiempo sin hacer nada.

— Ha sido una hormiguita — decía Natalia. —
Á mí me había confesado que guardaba dinero,
pero no creía que tanto.

Roche solía invitar á María y á Natalia á pasear
en coche por el campo. Iban **muy** lejos; algunos
días llegaron á casa de Wanda.

Roche estaba muy contento y decidor; hombre que había vivido con una mujer orgullosa y
seca, que no había pensado más que en mortifi-

carle con sus frases y en gastar todo el dinero posible, al encontrarse con Natalia, que sentía por él un entusiasmo y una confianza extraordinarios, se hallaba absorto. Su filosofía escéptica iba transformándose en un optimismo algo infantil, cándido y risueño. Así como la desgracia hace discurrir más, la felicidad quita todo deseo de análisis ; por eso es doblemente deseable. Natalia no había puesto obstáculo ninguno para unirse con Roche, pero éste, que prefería llevarla á su casa como mujer, con todas las preeminencias sociales que el matrimonio podía darle, que no tenerla como querida, esperó á que se resolviera el pleito de su divorcio. Natalia le había agradecido esa delicada atención en el fondo de su alma, y tan satisfecha y feliz era, que había embellecido.

Roche solía decir :

— Ahora mis amigos dirán : « Este Roche es un hombre listo; parecía distraído en oir cantar la alondra en el campo, y era que esperaba tenerla en el plato. »

Y Natalia, que era ciertamente una alondra encantadora, miraba á su prometido con los ojos brillantes de amor.

HAY QUE SER INMORAL

Una tarde hablaban Iturrioz y María de su vida y del giro que habían tomado sus asuntos.

— Ya ve usted, he tenido mala suerte — dijo María.

— ¿Mala suerte? No — contestó Iturrioz.

— Todo me ha salido mal — exclamó ella con un despecho infantil.

— ¿Que te ha salido todo mal? No, hija mía. ¿Qué quieres tú? ¿Tener una personalidad y ser feliz como las que no la tienen? ¿Discurrir libremente, gozar del espectáculo de la propia dignidad y además ser protegida? ¿Ser niña y mujer al mismo tiempo? No, María. Eso es imposible. Hay que elegir. ¿Quieres ser el pájaro salvaje que busca sólo su comida y su nido? Pues hay que luchar contra el viento y contra las tempestades. Además, ¿quieres depender de ti misma? Tienes que abandonar una moral buena para una señorita de provincia.

— ¿Por qué?

— Porque sí. Esa vieja literata que te dijo, cuando pretendiste ser su secretaria : « No ha tenido usted amantes, no me sirve usted », no creas que discurría torpemente, no. Era para ella éste el grado de tu moralidad. Ella pensó : ¿No ha tenido amantes porque es honrada?, no me conviene; ó ¿no ha tenido amantes porque es indiferente?, entonces tampoco me conviene.

— Pero ¿por qué la honradez ha de estar reñida con el trabajo?

— No; no está reñida con el trabajo, está en pugna con la vida. ¿Tú quieres ser libre? Tienes que ser inmoral. Hay virtudes que sirven y son útiles en un grado de civilización, pero que no sirven y hasta son inútiles en otro.

— Yo no lo creo así.

— Pues créelo. Este es un momento crítico de tu vida. Me alegro de encontrarme aquí, no por aconsejarte, yo no aconsejo á nadie, sino porque estoy fuera de la cuestión y tengo la suficiente serenidad para ver claro. Delante de ti tienes dos soluciones : una la vida independiente, otra la sumisión : vivir libre ó tomar un amo; no hay otro camino. La vida libre te llevará probablemente al fracaso, te convertirá en un harapo, en una mujer vieja y medio loca á los treinta años; no tendrás hogar, pasarás el final de tu vida en una casa de huéspedes fría, con caras extrañas. Tendrás la grandeza del explorador que vuelve del viaje destrozado y con fiebre, eso sí. Si te sometes...

— ¿Si me someto, qué?

— Si te sometes, tendrás un amo y la vida te será más fácil. Claro que el matrimonio es una institución bárbara y brutal; pero tú puedes tener un buen amo; puedes volver á España. Venancio tiene por ti un cariño de padre, te casarás con él y tu vida será dulce y tranquila.

— ¿Cree usted... ?

— Sí.

— ¿Y Venancio me acogerá bien?

— ¡ Ya lo creo !

— ¿Aunque le diga lo que me ha pasado?

— ¿Qué te ha pasado, criatura? — dijo Iturrioz burlonamente. — No te ha pasado nada.

María estuvo pensativa y después dijo sonriendo entre lágrimas :

— No sé si á usted le parecerá mal, Iturrioz; pero creo que me voy á someter; — y después añadió graciosamente : — No tengo fuerza para ser inmoral.

SE VUELVE LA MIRADA HACIA EL PASADO

María, sin tener que trabajar, comenzó á aburrirse. Iturrioz iba á hacerle compañía, y los dos juntos charlaban de cosas antiguas, y hablaban sobre todo de Madrid.

María, como era madrileña, defendía su pueblo, é Iturrioz se reía.

— La verdad es que es un pueblo destartalado, pero tiene gracia Madrid — concluía diciendo Iturrioz.

Y hablaban de estas mañanas de Madrid, con el cielo limpio y puro, de la luz diáfana, acariciadora, en la que se destacan los objetos casi sin perspectiva, y de las calles en cuesta, torcidas y caprichosas, en las que se oyen las notas alegres de un organillo.

María recordaba muy fuertemente la impresión matinal de las calles de Madrid con sus vendedores callejeros y criadas, y conservaba también muy vivo el recuerdo de esa decoración que se presenta desde los altos del paseo de Rosales. Allá estaba el fondo que Velázquez puso á su cuadro de *Las Lanzas,* las montañas azules que decoran alguno de sus retratos, los pinos de la Moncloa y los viejos del Parque del Oeste. Recordaba también el ver por encima de la Casa de Campo, aquella línea recta de la llanura madrileña cortada á trechos por una casa de ladrillo ó por una chimenea humeante, en la atmósfera seca y transparente. Al mismo tiempo que las cosas, volvían á brotar las personas de su memoria con una viveza y una fuerza nuevas, y el pasado se despertaba ante ella como se despierta en la cuna un niño de ojos cándidos y risueños.

— Iría con mucho gusto allí — dijo María varias veces.

— Pues si quieres, yo te acompañaré — le contestó Iturrioz.

— ¿Y luego?

— Luego, si quieres volver, vuelve.

— Si voy, creo que no volveré.

— Pues decídete.

María se decidió, y quedaron de acuerdo para el día de la partida.

Iturrioz sacó el dinero que María tenía en el Banco. Se adelantó la boda de Natalia y de Roche, y el nuevo matrimonio acompañó á María y á Iturrioz hasta Folkestone. Allí las dos amigas se despidieron llorando.

Al cruzar en París en coche, desde la estación del Norte á la de Orléans, María vió en la avenida de la Ópera á Toledano con su hija y á Vladimir en un elegante automóvil.

Se encontraron de frente y se quedaron mirándose; Vladimir enrojeció y desvió la vista; Toledano sonrió de una manera cínica y repugnante.

— ¡Son ellos! — exclamó María. — Vuelven la cabeza. ¡Qué canallas!

— Hay que dejar á los canallas que vivan — dijo Iturrioz; — ¡quién sabe si no tendrán también su utilidad!

CAPITULO XVII

EPÍLOGO FELIZ, CASI TRISTE

UNOS meses después, María se casó con su primo Venancio en Madrid, y al año de casada tuvo un hijo, á quien llamaron Enrique, como á su abuelo.

El doctor Aracil volvió á España; había envejecido en poco tiempo y se mostraba más reconcentrado y más triste; solamente se le veía reir contemplando á su nietecillo. Iturrioz sigue siempre huraño y cada vez más raro, y Natalia envía á su amiga española cartas largas y tarjetas postales.

Y María pasea por la calle de Rosales con sus sobrinas, que ahora la llaman mamá, y con su hijo. Ha engrosado un poco y es una señora sedentaria y tranquila.

IMPRENTA DE NELSON, EDIMBURGO (ESCOCIA)

PRINTED IN GREAT BRITAIN